BEST FEST SONGBOOK

VOLUME TWO

CONTENTS

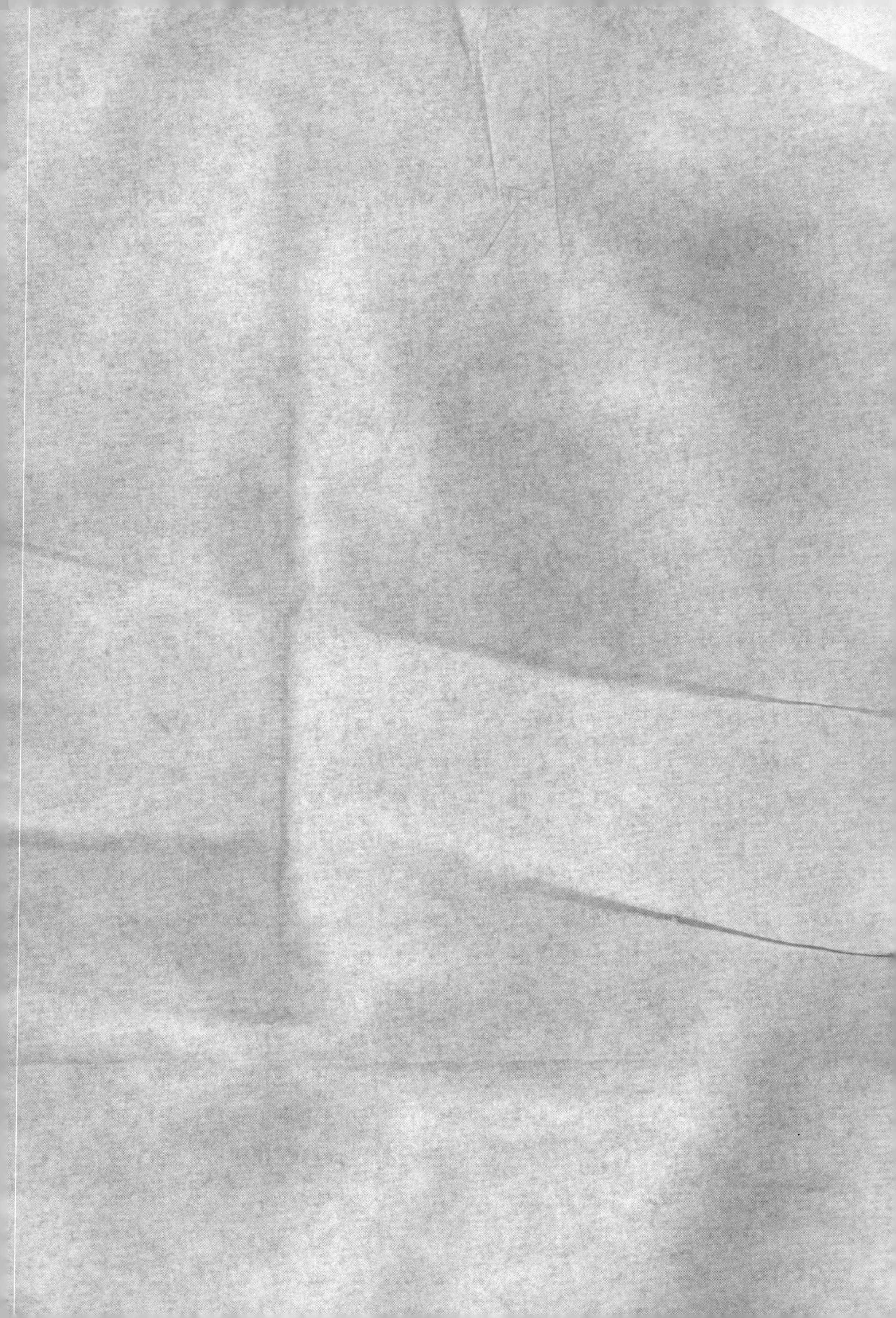

FIRST PUBLISHED BY FABER MUSIC LTD IN 2006
3 QUEEN SQUARE, LONDON WC1N3AU

ARRANGED BY ALEX DAVIS
COMPILED & EDITED BY LUCY HOLLIDAY
DESIGNED BY LYDIA MERRILLS-ASHCROFT & DOMINIC BROOKMAN
PHOTOGRAPHS FROM REDFERNS MUSIC PICTURE LIBRARY

PRINTED IN ENGLAND BY CALIGRAVING LTD

THE TEXT PAPER USED IN THIS PUBLICATION IS A VIRGIN FIBRE PRODUCT THAT IS MANUFACTURED IN THE UK TO ISO 14001 STANDARDS. THE WOOD FIBRE USED IS ONLY SOURCED FROM MANAGED FORESTS USING SUSTAINABLE FORESTRY PRINCIPLES. THIS PAPER IS 100% RECYCLABLE

ISBN10: 0-571-53074-5
EAN13: 978-0-571-53074-8

TO BUY FABER MUSIC PUBLICATIONSOR TO FIND OUT ABOUT THE FULL RANGE OF TITLES AVAILABLE,
PLEASE CONTACT YOUR LOCAL MUSIC RETAILER OR FABER MUSIC SALES ENQUIRIES:

FABER MUSIC LTD, BURNT MILL, ELIZABETH WAY, HARLOW, CM20 2HX ENGLAND
TEL: +44(0)1279828982 FAX: +44(01279828983
SALES@FABERMUSIC.COM FABERMUSIC.COM

4 A.M. FOREVER

WORDS BY IAN WATKINS

MUSIC BY STUART RICHARDSON, RICHARD OLIVER, LEE GAZE AND MICHAEL LEWIS

Em* 7fr | G 10fr | D* 5fr | C5 3fr | D5 5fr

Em | D | E5 7fr | G5 3fr | E5* | F♯5

♩ = 77

Tune guitar down one semitone song sounds in E♭

Intro

Em* G D* *Play x3*

C5 D5 Em C5 D5 Em

Verse 1

| Em | D | Em |
Yesterday I lost my clo - sest friend, yesterday I wanted time

| D | Em | D |
to end. I wonder if my heart will ever mend,

| C5 D5 | Em | C5 D5 | Em ||
I just let you slip away. Four A M forever...

Verse 2

| Em | D |
Maybe I'll never see you smile again,

| Em | D |
Maybe you thought that it was all pretend.

| Em | D |
All these words that I could ne - ver say,

| C5 D5 | Em | C5 D5 | Em ||
I just let them slip away. Four A M forever.

Chorus 1

| E5 C5 | G5 D5 |
Why don't you hear me when I'm cal - ling out to you? *To you...*

| E5 C5 | G5 D5 |
Why don't you lis - ten when I try to make it through? *To you...*

cont.

| E5 C5 | G5 D5 |
Goodbye,___ goodbye,___ goodbye,___ you never know.

| C5 D5 | E5* F#5 | C5 D5 | E5* ||
Hold a lit - tle tighter,______ four A M forever.______

Verse 3

| Em | D |
Maybe one day when I can move__________ along,________

| Em | D |
Maybe some day when you can hear________ this song,________

| C5 D5 | Em | C5 D5 | Em ||
You won't let it slip away.___________ Four A M forever.___________

Mid-section

| C5 | D5 | E5* | F#5 |
And I wish the sun would never come. It's_ four_ A_ M_ and you are done.

| C5 | D5 | E5* | E5* ||
I hope you know you're letting go. It's four A M and I'm alone.

Guitar solo

||: C5 //////////////// | D5 //////////////// |
| E5* //////////////// | F#5 //////////////// :||

Chorus 2

| E5 C5 | G5 D5 |
Why don't you hear me when I'm cal - ling out to you?_____________
To you...

| E5 C5 | G5 D5 |
Why don't you lis - ten when I try__ to make it through?____________
To you...

| E5 C5 | G5 D5 |
Goodbye,___ goodbye,___ goodbye,___ you never know,

| C5 D5 | E5* ||
Hold a lit - tle_ tighter.______________________________

Chorus 3 *As Chorus 1*

THE BAD THING

WORDS AND MUSIC BY ALEX TURNER

Em 7fr, Bm 7fr, Am* 5fr, G 3fr
F♯5, Dm 5fr, Am 12fr, Em*

♩ = 223

Chorus 1

| 4/4 Em | Em | Bm | Bm |
Do_______ the bad__ thing,_______

| Am* | Am* | G | F♯5 |
Take___ off___ your_______ wedding__ ring,___

| Em | Em | Bm | Bm |
But it won't make it that much easier,

| Am* | Am* | G | F♯5 ||
It might make it worse.__ Oh the

Verse 1

| Dm | Dm | Am |
night's like a whirlwind, somebody's girlfriend's talkin' to me but it's

| Am | Dm | Dm |
alright, she's sayin' that he's not gonna slap me or try to attack me,

| Am | Am | Dm | Dm |
He's not the jealous_ type, and I only need to get half__ an ex -

| Am | Am | Dm | Dm |
- cuse and I'm_ away,_ but when there's no ex -cuses that's much

| Am | Am | Dm | Dm |
easier to say. I've been be - fore, and all these capers

| Am | Am | Dm |
make her too forward to ignore.__ Well she's

| Dm | Am | Am ||
talkin' but I'm_not entirely sure,___ oh.___

Instrumental 1 ‖: Dm ... Am* ... Play x3 :‖
G ... F♯5 ... N.C. ‖

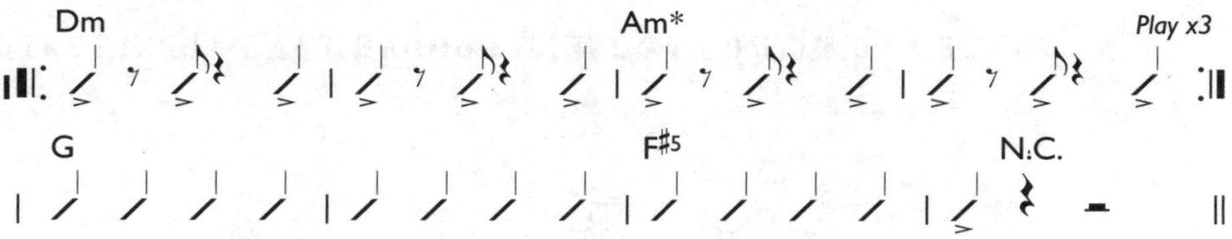

Chorus 2 *As Chorus 1*

Verse 2

| (D) | (D) | (A) |
Oh I'm stood at the bar and somebody's partner's talkin' to me, but
| (A) | (D) | (D) |
I don't know that is what she isn't she murmors things to confirm that
| (A) | (A) | (D) | (D) |
the tragedy is true,__ and I_ knew "how could she not, she could have
| (A) | (A) | (D) | (D) |
anyone_ she wants". And I'm strugglin' to think_ of an im-
| (A) | (A) | Dm |
- mediate response._ Like I don't mind, be a
| Dm | Am | Am |
big mistake_ for you_ to wait,_ and let me waste your
| Dm | Dm | Am | Am ‖
time.___ Really_ love, it's fine.__ I said really love, it's

Instrumental 2 *As Instrumental 1*
fine._____

Outro

| Em | Em | Bm | Bm |
And then the first_ time it occurred_ that there was something to des - troy,__ I
| Am* | Am* | G | F♯5 |
knew before the invitation that there was this ploy. Oh but she
| Em | Em | Bm | Bm |
carried on sug - gestin',__ a struggle to re - fuse.___ She
| Am* | Am* | G N.C. | F♯5 N.C. | Em* ‖
said "It's the red wine this time, but that is no ex - cuse".

COLOURS

WORDS AND MUSIC BY JOSEPH GODDARD AND ALEXIS TAYLOR

Am G Em7 C
Dm F Em F/C

♩ = 77

Verse 1

| 4/4 Am G Em7 | Em7 | Am G C | C |
Colours are what keep me a - live.

| Am G Em7 | Em7 | Am G C | C |
Colours I want to hold in my hand.

| Am G Em7 | Em7 | Am G C | C |
Colours are where my, my old makes new.

| Am G Em7 | Em7 | Am G C | C ||
Colours are where my, my brain finds blue.

Chorus 1

| C | C | Dm |
Colours and colours and colours of colours. Colours and colours and

| Dm | F Em | Dm F/C |
colours of colours. Covers and covers and covers in colours.

| F Em | Dm F/C ||
Covers and covers and covers in colours.

♩ = 154

Bridge 1

C

rhythm cont. sim.

Verse 2

| C | C | C | C | C |
Bursts are where I find a

| C | C | C | C | C |
fix. Bursts are made

| C | C | C | C | C | C ||
to colour me rich.

Verse 3

| C | C | C | C | C |
Bursts of blocks, stickle
| C | C | C | C | C |
bricks. Bursts of colour
| C | C | C | C | C | C ||
'til I'm sick.

Chorus 2

| C | C | C | C |
I only wanted for to
Colours and colours and colours of colours.
| Dm | Dm | Dm | Dm |
see.________ There's nothing in this heart but
Colours and colours and colours of colours.
| F | Em | Dm | F/C |
me.________________________ Every - thing you want is
Covers and covers and covers in colours.
| F | Em | Dm | F/C ||
not_______ free._______
Covers and covers and covers in colours.

Chorus 3

| C | C | C | C |
I'm every - thing a girl could
Colours and colours and colours of colours.
| Dm | Dm | Dm | Dm |
need.__________ There's nothing in this heart but
Colours and colours and colours of colours.
| F | Em | Dm | F/C |
me.________________________ If every - thing you want is
Covers and covers and covers in colours.
| F | Em | Dm | F/C ||
free.________________________
Covers and covers and covers in colours.

Bridge 2

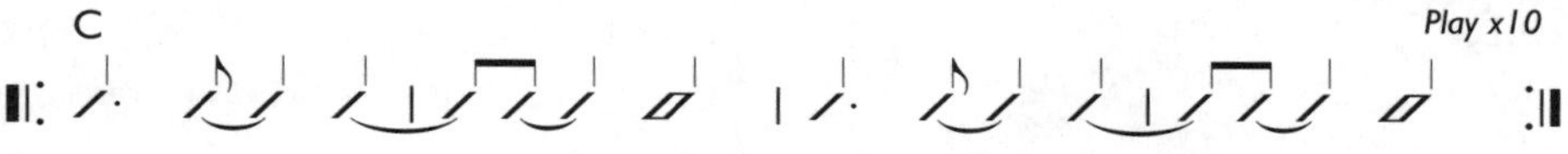

C *Play x10*

Chorus 4 *As Chorus 3*

Chorus 5

C	C	C	C
		If every -	thing you want is
Colours and	*colours and*	*colours of*	*colours.*
Dm	**Dm**	**Dm**	**Dm**
free.______		There's nothing	in this heart but
Colours and	*colours and*	*colours of*	*colours.*
F	**Em**	**Dm**	**F/C**
me.______	______	I only	wanted for to
Covers and	*covers and*	*covers in*	*colours.*
F	**Em**	**Dm**	**F/C** ‖
see.______	______		
Covers and	*covers and*	*covers in*	*colours.*

Chorus 6

C	C	C	C
		I only	wanted for to
Colours and	*colours and*	*colours of*	*colours.*
Dm	**Dm**	**Dm**	**Dm**
see.______		There's nothing	in this heart but
Colours and	*colours and*	*colours of*	*colours.*
F	**Em**	**Dm**	**F/C**
me.______	______	And every -	thing you want is
Covers and	*covers and*	*covers in*	*colours.*

F	Em	Dm	F/C	C ‖
not______	free,______	free,______	free.___	
Covers and	*covers and*	*covers in*	*colours.*	

COMBINE HARVESTER (BRAND NEW KEY)

WORDS BY BRENDAN O'SHAUGHNESSY
MUSIC BY MELANIE SAFKA

E♭ (6fr) B♭7 (6fr) A♭ (4fr)

♩ = 97

Intro

| 4/4 (G) (F) (E♭) (D) (C) (B♭) (C) (G) (F) (E♭) | E♭ (B♭) (C) (D) ||

Verse 1

| E♭ | E♭ |
I drove my tractor through your hay-stack last night._
Ooh aar, ooh

| B♭7 | B♭7 |
I threw me pitchfork at your dog_ to keep quiet._ Now
aar.___ Ooh aar, ooh

| E♭ | E♭ |
something's telling me that you'm avoiding me,
aar.___ Ooh aar, ooh

| A♭ | B♭7 ||
Come on now darling you got something I need. 'Cause
aar.___

Chorus 1

| E♭ | E♭ |
I've got a brand new combine harvester and I'll give you the key,

| E♭ | E♭ |
Come on now let's get together in perfect harmony.

| A♭ | A♭ B♭7 |
I got twenty acres_ and you got forty three._ Now

| E♭ | E♭ ||
I've got a brand new combine harvester and I'll give you the key._

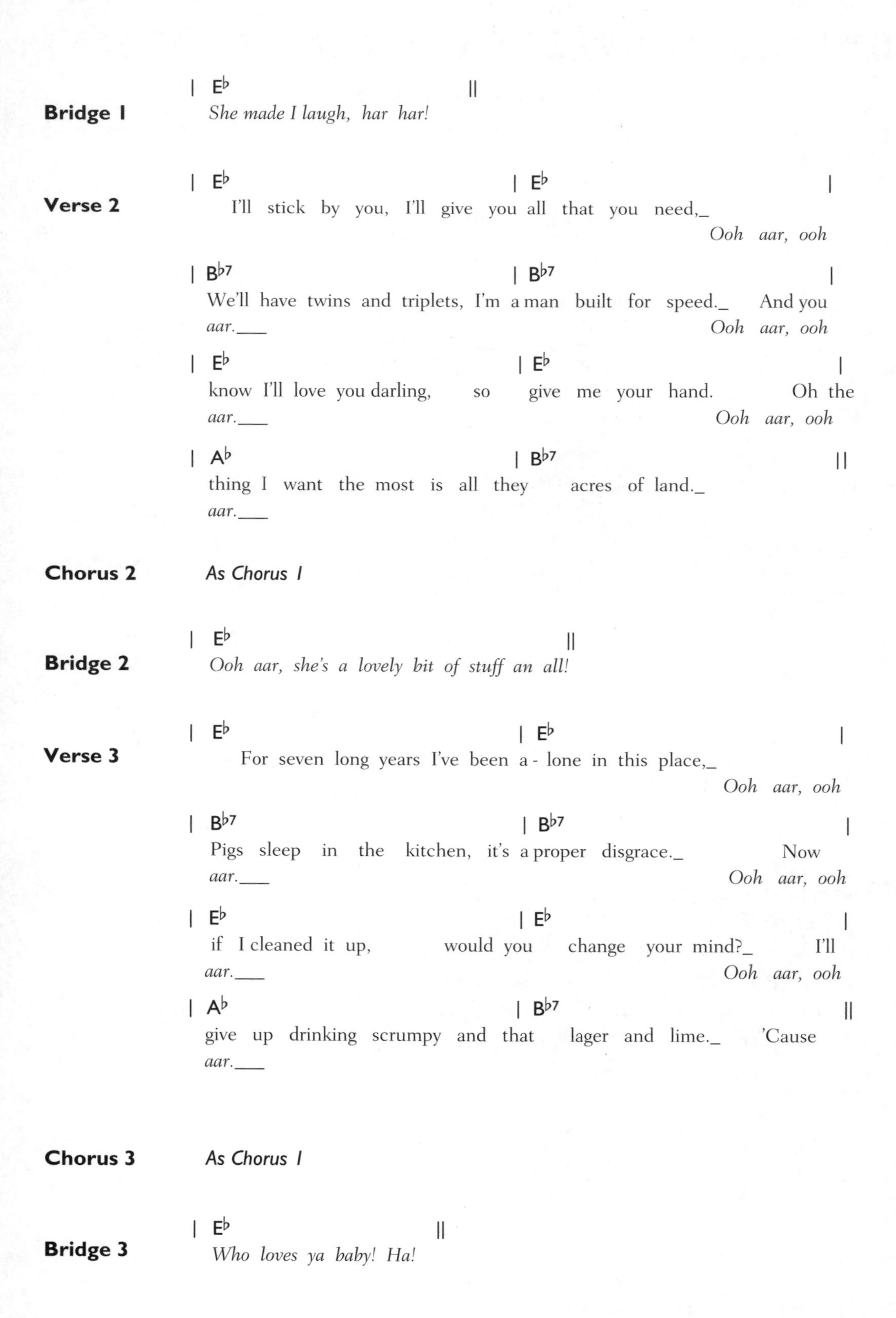
Bridge 1
| E♭ ||
She made I laugh, har har!
Verse 2
| E♭ | E♭ |
I'll stick by you, I'll give you all that you need,_
Ooh aar, ooh
| B♭7 | B♭7 |
We'll have twins and triplets, I'm a man built for speed._ And you
aar.___ Ooh aar, ooh
| E♭ | E♭ |
know I'll love you darling, so give me your hand. Oh the
aar.___ Ooh aar, ooh
| A♭ | B♭7 ||
thing I want the most is all they acres of land._
aar.___
Chorus 2
As Chorus 1
Bridge 2
| E♭ ||
Ooh aar, she's a lovely bit of stuff an all!
Verse 3
| E♭ | E♭ |
For seven long years I've been a - lone in this place,_
Ooh aar, ooh
| B♭7 | B♭7 |
Pigs sleep in the kitchen, it's a proper disgrace._ Now
aar.___ Ooh aar, ooh
| E♭ | E♭ |
if I cleaned it up, would you change your mind?_ I'll
aar.___ Ooh aar, ooh
| A♭ | B♭7 ||
give up drinking scrumpy and that lager and lime._ 'Cause
aar.___
Chorus 3
As Chorus 1
Bridge 3
| E♭ ||
Who loves ya baby! Ha!

Verse 4

| E♭ N.C. | N.C. (E♭) (D) (C) |
Weren't we a grand couple at that last Wurzel dance?

| B♭7 N.C. | N.C. (B♭) (C) (D) |
I wore brand new gaters and me courderoy pants, in your

| E♭ | E♭ |
new Sunday dress_ with your perfume smelling grand

| A♭ N.C. | B♭7 N.C. (B♭) (A♭) (G) (F) ||
We had our photos tooken us holding hands._ Now

Chorus 4

| E♭ | E♭ |
I've got a brand new combine harvester and I'll give you the key.

| E♭ | E♭ |
Now that we'm both past our fifty's I think that you and me should

| A♭ | A♭ B♭7 |
stop this galavanting, and will you marry me?_ 'Cause

| E♭ | E♭ ||
I've got a brand new combine harvester and I'll give you the key.

Outro

| E♭ | E♭ |
Aar, you're a fine looking woman! And I can't wait to get me hands on your land!

(G) (F) (E♭) (D) (C) (B♭) (C) (G) (F) (E♭) (B♭) (C) (G) (F) (E♭)
| / / / / / / / / / / / | / / / / / / / / ||

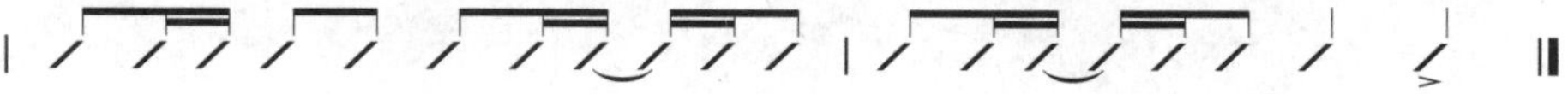

COUNTRY GIRL

WORDS AND MUSIC BY BOBBY GILLESPIE, ANDREW INNES, GARY MOUNFIELD AND MARTIN DUFFY

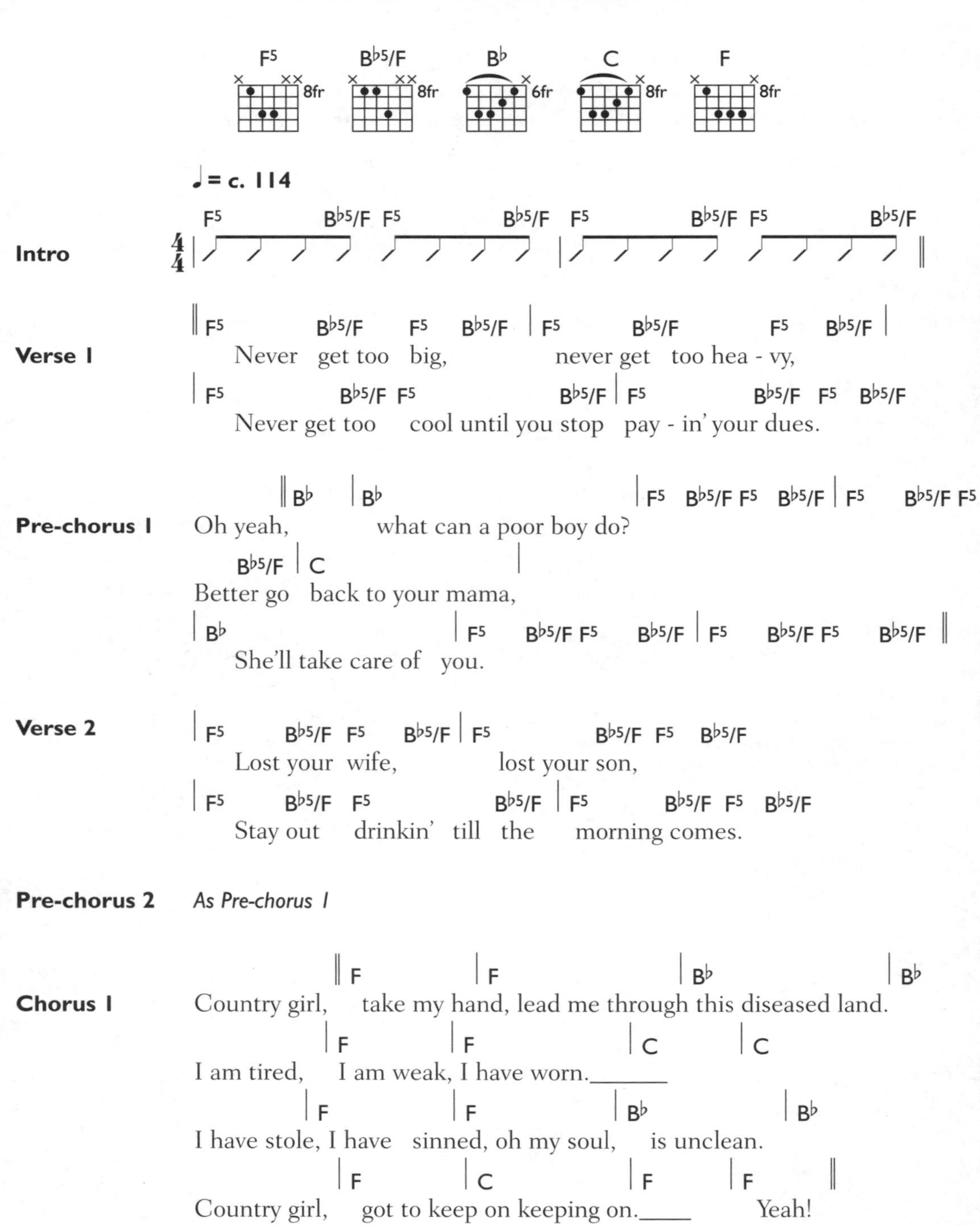

Verse 3

| F5 Bb5/F F5 Bb5/F | F5 Bb5/F F5 Bb5/F
Cra - zy women mess your head,
| F5 Bb5/F F5 Bb5/F | F5 Bb5/F F5 Bb5/F
Wake up drunk and bleeding in some strange bed.

Pre-chorus 3 *As Pre-chorus 1*

Chorus 2 *As Chorus 1*

Middle

|| Bb | F
Gotta keep on keeping on,
| Bb | F
Gotta keep on keep strong.

C C N.C.
with you.______ Got the riot city blues.

Instrumental

| F | F | F | F | Bb | Bb |

| F | F | C | Bb | F | F

Verse 4

|| F5 | F5 Bb5/F F5 Bb5/F
I have to say before I have to go,
| F5 Bb5/F F5 Bb5/F | F5 Bb5/F F5 Bb5/F
Be careful with your seed, you'll reap just what you sow.

Pre-chorus 4 *As Pre-chorus 1*

Chorus 3 *As Chorus 1*

Outro

|| F | C | Bb | F ||
Country girl, got to keep on keeping on.__________

DIAMONDS ARE FOREVER

WORDS BY DON BLACK
MUSIC BY JOHN BARRY

Bm Em7 A7 Em7/D
Cmaj7 F#m7 F#7 A#dim Gmaj7/B 2fr

♩ = 102

Intro
| Bm | | Em7 | ||

Verse 1

| Bm | Bm | Em7 |
Diamonds are forever. They are all I need to please me,

| Em7 | A7 | A7 |
They can_ stimulate and tease_ me._ They won't

| Em7 Em7/D | Cmaj7 | Cmaj7 | Cmaj7 A7 ||
leave in the night. I've no fear that they might_ de - sert me.__

Verse 2

| Bm | Bm | Em7 |
Diamonds_ are forever._ Hold_ one up and then_ caress it,

| Em7 | A7 | A7 |
Touch it, stroke it and undress it._ I can

| Em7 Em7/D | Cmaj7 | Cmaj7 | A7 N.C. ||
see every part, nothing hides in the heart to hurt me.__ I don't need

Chorus 1

| F♯m^7 | F♯m^7 | Bm |
love,_______ for what good will love do me?

| Em^7 | Cmaj^7 | Cmaj^7 |
Diamonds never lie to__ me. For when love's_

| F♯^{7} | F♯^{7} | A♯dim | A♯dim N.C. ||
gone,____________________ they'll luster on._________

Verse 3

| Bm | Bm | Em^7 |
Diamonds are forever. Sparkling_ round___ my little fin -

| Em^7 | A^7 | A^7 |
- ger,_________ un - like men the diamonds_ lin- ger.___ Men are

| Em^7 Em^7/D | Cmaj^7 | Cmaj^7 | A^7 N.C. ||
mere mortals who are not worth going to your grave__ for._ I don't need

Chorus 2 *As Chorus 1*

Outro

| Bm | Bm |
Diamonds are forever,_ for - ever,_ forever._

| Gmaj^7/B | Gmaj^7/B | Cmaj^7 |
Diamonds are forever,_ for - ever,_ forever._ For - ever________

| Cmaj^7 | Bm | Bm | Bm | Bm ||
and__ ever.________________________________

DON'T LET HIM WASTE YOUR TIME

WORDS AND MUSIC BY GERRY GOFFIN AND PHIL SPECTOR

E G♯m F♯m B A

4fr

♩ = 80

Intro

E G♯m F♯m G♯m

E G♯m F♯m G♯m

Verse 1

| E G♯m | F♯m G♯m |
Well you can stay__ all__ night if you want to, you can
| E G♯m | F♯m G♯m | E G♯m |
hang out with all of his friends. You can go and meet his mother and fa -
| F♯m G♯m | E G♯m | F♯m G♯m |
- ther. You better make_ sure_ that's where it ends._ 'Cause
| G♯m | F♯m | B ||
baby________ there's one thing that you've gotta know...__________ Let him

Chorus 1

| E | F♯m |
read your__ palm__ and__ guess__ your__ sign,__ let him
| G♯m | A |
take you__ home__ and__ treat__ you__ fine,__ but__
| E | B | E G♯m |
baby,__ don't let him waste your time. Don't
| F♯m G♯m | E G♯m | F♯m G♯m ||
let him waste your time. 'Cause the

Verse 2

| E G♯m | F♯m G♯m |
years__ fly__ by in an in - stant. And you
| E G♯m | F♯m G♯m |
wonder what he's waiting__ for.__ Ah, then some

cont.

| E G♯m | F♯m G♯m |
skinny bitch walks by in some hot pants, and he's_

| E G♯m | F♯m G♯m |
running__ out_ the___ door.___ So re -

| G♯m | F♯m | F♯m ||
- member___ that__ one thing_ that you've gotta know.__________ Let him

Chorus 2 *As Chorus 1*

Mid-section 8

| A | F♯m |
You ain't__ getting no youn - ger, and you've

| A | F♯m | E |
got nothing to show.__ So___ tell him that it's now or ne -

| F♯m | F♯m | F♯m ||
- ver, and then__ go, go,__ go,__ go,__ go.__________ He can

Chorus 3

| E | F♯m |
have his_ space,_ yeah he can take his_ time._ And he can

| G♯m | A |
kiss you where the sun don't shine. But_

| E | B ||
baby,________ don't let him__ waste__ your__ time.__

Outro

||: E G♯m | F♯m G♯m |
Don't let him waste your time.
Play x4

| E G♯m | F♯m G♯m :|| E ||
Don't let him waste your time.

EITHER WAY

WORDS AND MUSIC BY PHILIP ETHERIDGE, JONATHAN WATKIN, MARTIN SAUNDERS, MATTHEW CLINTON AND STUART HARTLAND

D G6 E7sus4 D/F# A9sus4 D/A

♩ = 114

Intro

| D | G6 | D | G6 :|| *Play x4*

Verse 1

| D | G6 |
Yeah I feel better today, I think that shit was just a phase.
| D | G6 |
My whole outlook's changed, I've even stopped feelin' strange. I can
| D | G6 |
understand why you was mad now, why should you be the one who has to lose out,
| D | G6 ||
just 'cause I'm on one? I said I'm always gonna have shit going on!

Chorus 1

| D | G6 | D | G6 |
I feel so much better to - day.__ I chase the bad things a-
| D | G6 | D | G6 ||
- way.______ I'm so

Verse 2

| D | G6 |
glad I turned the corner man, 'cause I was sick of feelin' rough,
| D | G6 |
I was getting paranoid_ about the silliest of stuff.
| D | G6 |
I was at me wit's, I was pulling my hair out; I'd just about had enough
| D | G6 ||
And all I needed was just a hug and that little bit of love.

Chorus 2

| D | G^6 | D |
I feel so much_ better_ to - day.___________ I
| G^6 | D | G^6 |
chase the bad things a - way.______________________ And I
| D | G^6 ||
really do feel so much better, I really do feel so much better.

Bridge 1

| E^7sus^4 | D/F# A^9sus^4 | E^7sus^4 |
And I've gotta find my phone to tell_ ya,_
| D/F# A^9sus^4 | E^7sus^4 |
Maybe even write you a love letter. Ah___
| D/F# A^9sus^4 | E^7sus^4 | D/F# A^9sus^4 ||
Either way I've gotta tell_ ya,_ ah either way I've gotta tell_ ya._

Chorus 3 *As Chorus 1*

Verse 3

| D | G^6 |
And yeah I really do feel better, and it almost don't feel right, so I'm gonna
| D | G^6 |
store this thought away for a bit, 'cause nosaying there's gonna be harder times. 'Cause it's
| D | G^6 |
always your favorite top you blim, but think man it could have been your skin. And I
| D | G^6 |
think that we might just be OK, but what's it matter either way. 'Cause
| D | G^6 |
she's the one that's always there, yeah she's the one that always cares, yeah
| D | G^6 ||
she's the one that's always there, 'cause you're the one that always cares. I love

Bridge 2

| E^7sus^4 | D/F# A^9sus^4 | E^7sus^4 |
ya, and I've gotta find my phone to tell her. Ah_
| D/F# A^9sus^4 | E^7sus^4 | D/F# A^9sus^4 |
Maybe even write her a love letter. Ah_ either way I've gotta tell ya,
| E^7sus^4 | D/F# A^9sus^4 | E^7sus^4 |
Ah_ either way I've gotta tell_ ya._ Ah

cont.

| D/F♯ A⁹sus⁴ | E⁷sus⁴ | D/F♯ A⁹sus⁴ |
either way I've gotta tell_ ya._ Oh_ either way I've gotta say..._

| E⁷sus⁴ | D/F♯ A⁹sus⁴ |
Either way,_ either way,_ either way,_ either way._

| E⁷sus⁴ | D/F♯ A⁹sus⁴ | E⁷sus⁴ |
Either way,_ either way,_ either way, either way.________

| D/F♯ A⁹sus⁴ | E⁷sus⁴ | D/F♯ A⁹sus⁴ ||
Ei-ther way, either way.________ Ah, either way, either way.

Instrumental

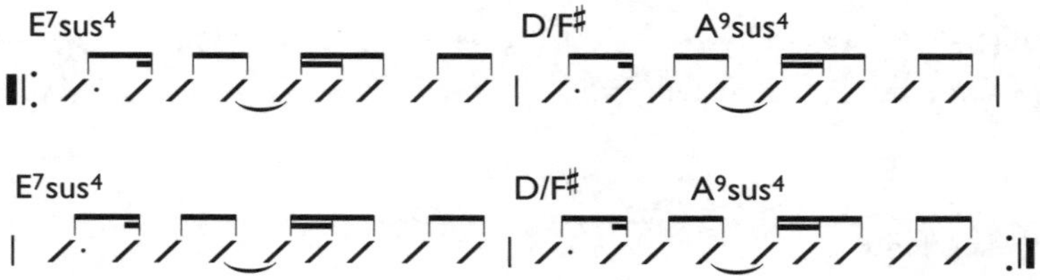

E⁷sus⁴ | D/F♯ A⁹sus⁴ |

E⁷sus⁴ | D/F♯ A⁹sus⁴ :||

Outro

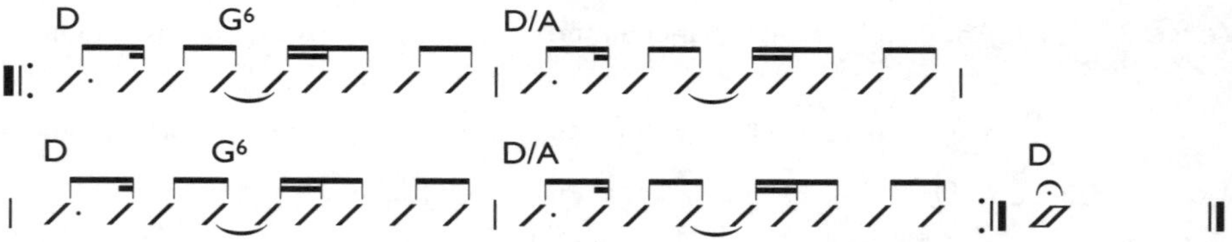

D G⁶ | D/A |

D G⁶ | D/A :|| D ||

FAMOUS LAST WORDS

WORDS AND MUSIC BY GERARD WAY, RAYMOND TORO, FRANK IERO, MICHAEL WAY AND BOB BRYAR

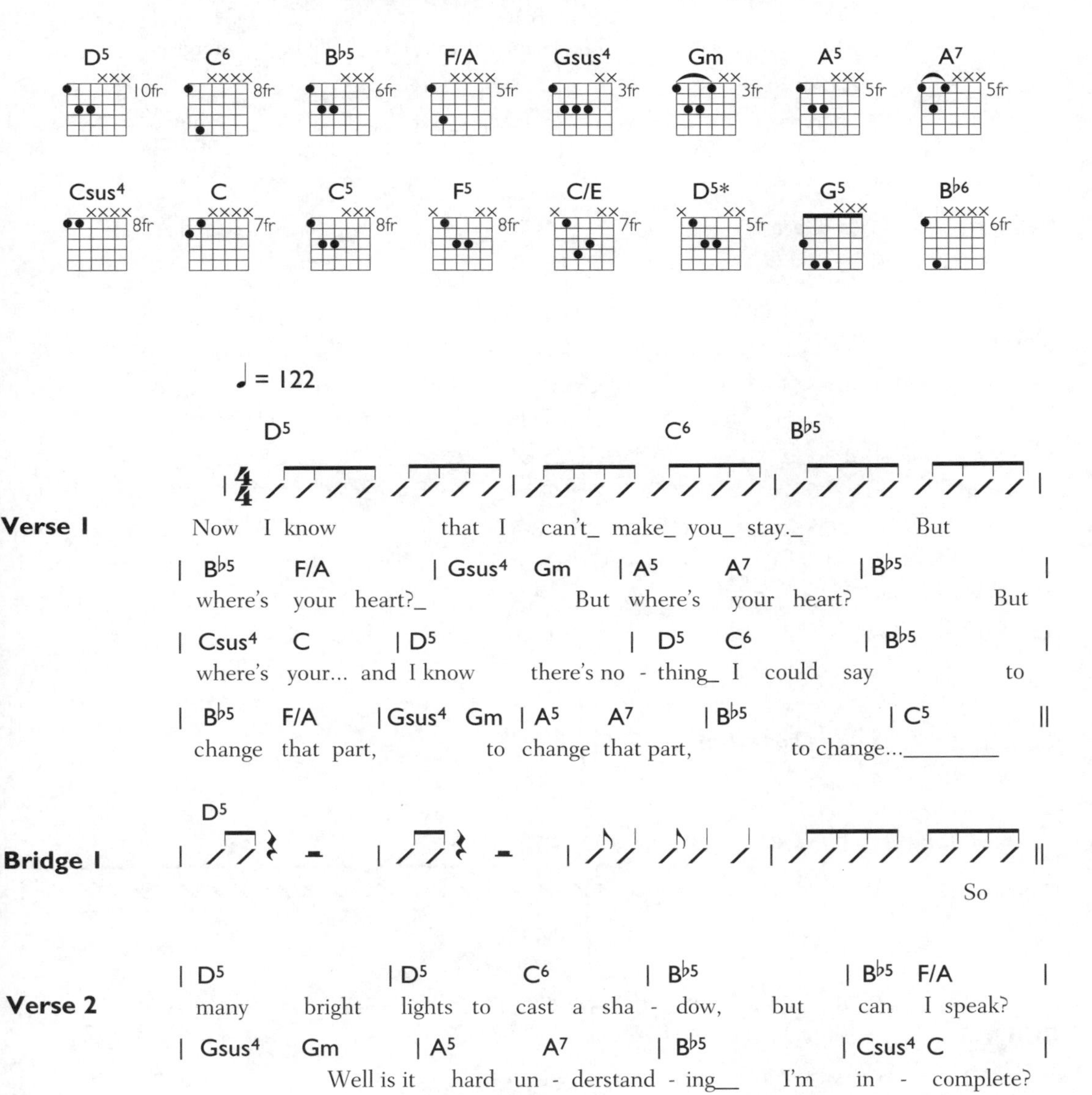

Chorus 1

| F^5 | F^5 C/E | D^{5*} |
I am not afraid__ to keep on liv - ing,__ I am not afraid__ to walk_

| D^{5*} A^5 | B$^{\flat 5}$ | C^5 |
this world alone. Honey if you stay__ I'll be forgiven,__

| G^5 | C^5 ||
Nothing you can say__ can stop___ me___ going___ home.

Bridge 2

As Bridge 1

Verse 3

| D^5 | D^5 C^6 | B$^{\flat 5}$ |
Can you see_______ my eyes are shi - ning_ bright, 'cause I'm out

| B$^{\flat 5}$ F/A | Gsus^4 Gm | A^5 A^7 |
here on__ the o - ther side__ of a jet black ho - tel mir -

| B$^{\flat 5}$ | Csus^4 C | D^5 |
- ror,___ and I'm____ so__ weak.__ Is it

| D^5 C^6 | B$^{\flat 5}$ | B$^{\flat 5}$ F/A |
hard__ un - derstand - ing__ I'm_ in - com - plete?

| Gsus^4 Gm | A^5 A^7 | B$^{\flat 5}$ | C^5 N.C. ||
A love that's so dem - anding, I get___ weak.

Chorus 2

‖: *As Chorus 1* :‖

Guitar solo

‖: D^5 C^5 B$^{\flat 5}$ A^5 G^5 F^5 | G^5 | A^5 :‖

Bridge 3

| D^5 C^5 B$^{\flat 5}$ | A^5 G^5 F^5 | G^5 | A^5 |
These bright lights have al - ways blind - ed me.___

| D^5 C^5 B$^{\flat 5}$ | A^5 G^5 F^5 | G^5 | A^5 ||
These bright lights have al - ways blind - ed me.___ I say...

Mid-section

(2° only)

𝄆 F^5 | F^5 C/E | D^{5*} | D^{5*} F/A |
(dead). I see_ you ly - ing next to me with words I_ thought_ I'd_ ne -

| $B^{\flat 5}$ | C^5 | G^5 | C^5 $B^{\flat 6}$ |
- ver speak, awake and__ un - afraid,__ asleep or__ dead.

| F/A | F/A C^5 | D^5 | D^5 C^6 |
'Cause I see you ly - ing next to me, with words_ I thought I'd ne-

| $B^{\flat 5}$ | C^5 | G^5 | C^5 𝄇
- ver speak, awake and__ un - afraid,__ as - leep___ or___

Chorus 3

𝄆 *As Chorus 1* 𝄇

Chorus 4

Instruments fade out

As Chorus 1

FED UP

WORDS AND MUSIC BY REMI WILSON

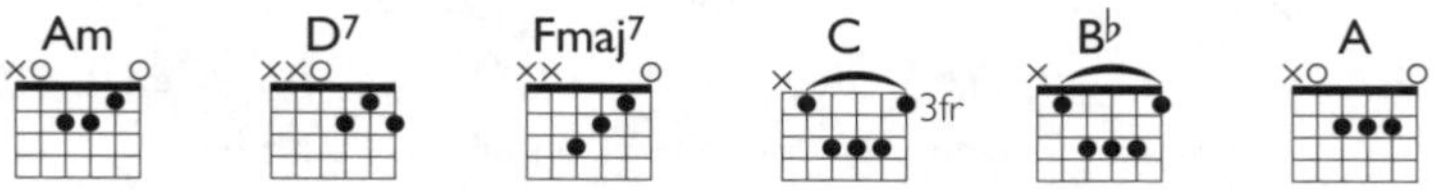

Am D7 Fmaj7 C B♭ A

♩ = 112

Intro

| Am | D7 | Am | D7 ||

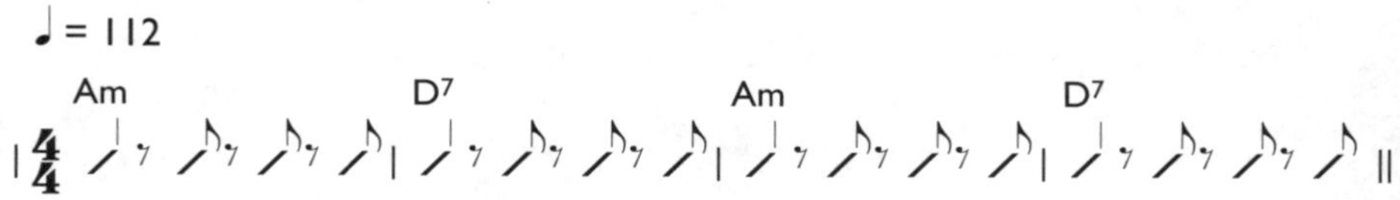

Verse 1

| Am | Am | D7 | D7 |
Today_ no wonder you're feeling sad

| Am | Am | D7 | D7 |
After_ last nights cigarette and yesterday's bottle of Jack.

| Am | Am | D7 | D7 |
You said you was gon - na change,__

| Am | Am | D7 | D7 ||
But as usual nothing does,_ you stay__ the same.__ And I'm_

Chorus 1

| Fmaj7 | C | B♭ | A |
fed up of people walking all over me,__ and I've

| Fmaj7 | C | B♭ | A |
had enough of you a - busing_ my genero - sity.___

| Fmaj7 | C | B♭ | A |
From now on I'm not letting you take the P,__ 'cause I'm

| Fmaj7 | C | B♭ | N.C. ||
fed up of people walking________ all over__

Bridge 1

As Intro

me.__

Verse 2

| Am | Am | D7 |
You said you've changed, you've been a - way and found yourself.

| D7 | Am | Am |
You're not to blame for all the hurt that you

cont.

```
| D7                    | D7              | Am                     | Am                |
  caused  to  everyone    else.__                   Stop making ex  -  cuses, face some re -
| D7                              | D7                        | Am   N.C.            |
- sponsibility.__                                           You   may get  away  with it  with
| N.C.                          | D7                      | D7                      ||
  everyone  else,  but I'm        telling  you  not__  with__    me.___        'Cause I'm
```

Chorus 2 *As Chorus 1*

Bridge 2

```
| Am               | D7                | Am                 |
       me.____            All_    o     -    ver_  me.___
| D7                 | D7                 | D7                 | D7                ||
                                                                               I'm____
```

Chorus 3

```
| Fmaj7              | C                    | Bb                     | A              |
           fed up              of people   walking   all over me,__          and_ I've__
| Fmaj7                   | C               | Bb                     | A              |
           had enough            of you a -  busing_ my genero    -    sity.__
| Fmaj7                   | C               | Bb                     | A              |
         From now on             I'm  not     letting  you take  the      P,___  no,_____
| Fmaj7                | C                  | Bb                  | Bb                |
         I'm fed up              of people   walking,                        of people
| Bb                   | N.C.                  | Am             ||
  walking____________           all__    over____     me._____
```

FUCK FOREVER

WORDS AND MUSIC BY PETER DOHERTY AND PATRICK WALDEN

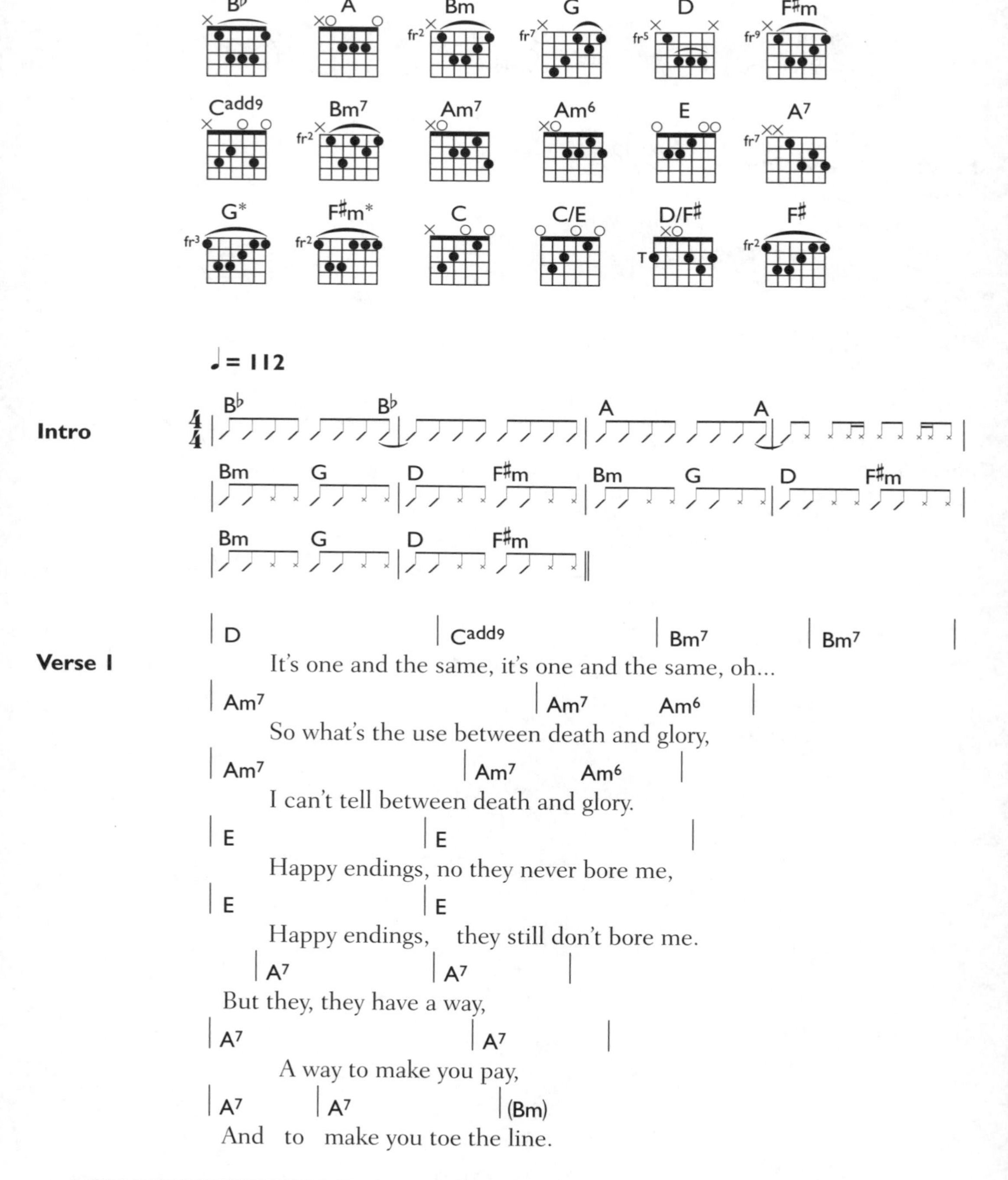

Chorus 1

| Bm G* |

| D F♯m* | Bm G* |
No I severed my ties,
| D F♯m* | Bm G* |
Because I'm so clever.
| D F♯m* | Bm G* |
But clever ain't wise.
| D N.C. | Bm G* |
And fuck forever,
| D F♯m* | Bm G* |
If you don't mind.
| D F♯m* | Bm G* |
Oh fuck forever,
| D F♯m* | Bm G* | D F♯m* ||
If you don't mind, don't mind, I don't mind, I don't mind.

Verse 2

| A7 | A7 |
Oh what's the use between death and glory?
| A7 | A7 |
I can't tell between death and glory.
| E | E |
New Labour, and Tory,
| E | E |
Purgatory and, happy families.
| D | C | Bm7 | Bm7 |
They're one and the same, one and the same.
| D | C/E | D/F♯ | Bm7 |
No it's not the same, it's not supposed to be the same.
| A7 | A7 |
You know about that way,
| A7 | A7 |
The way they make you pay,
| A7 | A7 | (Bm)
And the way they make you toe the line.

Chorus 2

```
| Bm     G*     |

| D        F#m*        | Bm     G*   |
          I severed my ties,
| D             F#m* | Bm     G*   |
           Oh I'm so clever.
    | D                 F#m*    | Bm     G*     |
So clever but you're not very nice.
| D    N.C.     | Bm     G*     |
      So fuck forever,
| D      F#m*      | Bm     G*   |
         If you don't mind.
| D        F#m*   | Bm     G*   |
       I'm stuck forever,
| D      F#m*      | Bm          G*         | D           F#m*     ||
                 In your mind, your mind, your mind.
```

Instrumental

```
  Bm       G         D        F#m       Bm       G         D         F#m
||: / / / /  / / / / | / / / /  / / / / | / / / /  / / / / | / / / /  / / / / :||
```

Verse 3

```
| A7                                 | A7
      But have you heard about that way,
    | A7                              | A7          |
To make you feel anxious and make you pay?
| A7        | A7        | A7        | A7        | A7                  | (Bm)
And______________________________  to make you toe the line, line.
```

Chorus 3

| Bm G* |

| D F♯m* | Bm G* |
I severed my ties.
| D F♯m* | Bm G* |
Oh well I'll never,
| D F♯m* | Bm G* |
Sever the ties.
| D N.C. | Bm G* |
And fuck forever,
| D F♯m* | Bm G* |
If you don't mind.
| D F♯m* | Bm G* |
See I'm stuck forever,
| D F♯m* | Bm G* | D F♯m* ||
I'm stuck in your mind, your mind, your mind, your mind.

Coda

| F♯ | F♯ |
They'll never play this on the radio.
| F♯ | F♯ |
They'll never play this on the radio.

F♯ F♯ F♯ F♯
| / / / / | / / / / | / / / / | / / - ||

Bm G D F♯m Bm G D F♯m
||: / / x x / / x x | / / x x / / x x | / / x x / / x x | / / x x / / x x :||

Bm
| / ||

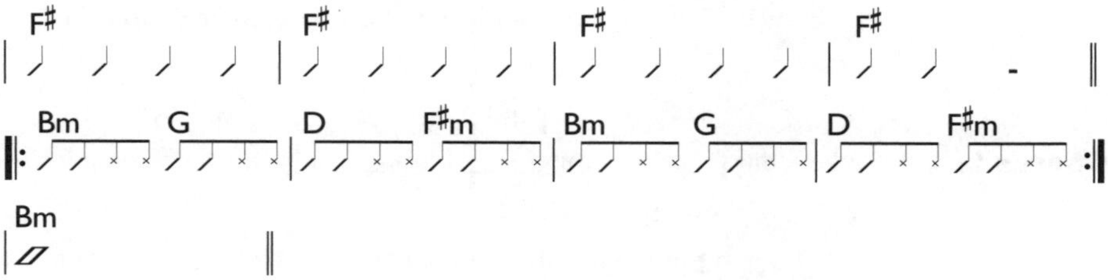

HOW TO SAVE A LIFE

WORDS AND MUSIC BY JOSEPH KING AND ISAAC SLADE

B♭ F6/A E♭ F
Gm F/A Gm7

♩ = 102

Intro

| 4/4 B♭ | F6/A | B♭ | F6/A ||
Step one

Verse 1

| B♭ | F6/A | B♭ |
you say we need___ to talk, he walks___ you say, "Sit down,_
| F6/A | B♭ | F6/A |
it's just a talk." He smiles polite - ly back at you,
| B♭ | F6/A | B♭ |
You stare polite - ly right on through some sort of win -
| F6/A | B♭ | F6/A |
- dow to___ your right, as he_ goes left___ and you stay_ right
| B♭ | F6/A | B♭ | F6/A ||
Between the lines___ of fear and blame, you begin to won - der why you came.

Chorus 1

| E♭ | F | Gm |
Where did I___ go wrong?___ I lost___ a friend some-where along_
| B♭ F6/A | E♭ | F |
in the bit-terness, and I would have stayed up___ with you all night
| Gm | B♭ F/A ||
had I___ known how to save___ a life.

Link

| B♭ | F6/A | B♭ | F6/A ||

Verse 2

| B♭ | F6/A | Gm7 |
Let him know_ that you_ know best 'cause after all_ you do_
| F6/A | B♭ | F6/A |
know best.___ Try to slip past his___ defence

cont.

```
| Gm7                     | F6/A                        | Bb                  |
   without granting in - nocence.                         Lay down a list___

| F6/A                      | Gm7                        | F6/A                  |
       of what is wrong;         the things you've told___ him all along.  And

| Gm7                   | F6/A                | Gm7                 | F6/A              ||
  pray to God  he hears   you,        and   pray to God   he   hears___ you.     And
```

Chorus 2 *As Chorus 1*

Link 2

```
| Bb                  | F6/A                  | Bb                  | F6/A                  ||
                                                                                         As
```

Verse 3

```
| Bb                   | F6/A                  | Gm7               |
  he begins to raise_____ his voice,    you     lower yours and

| F6/A                  | Bb                       | F6/A                   |
  grant him one last choice.     Drive until you lose___ the road,   or

| Gm7                             | F6/A                | Bb                    |
  break with the ones you've fol - lowed._____                 He will do one___

| F6/A                        | Gm7                        | F6/A                  |
       of two things:___             He will admit to ev - 'ry - thing,

| Bb                   | F6/A                   | Gm7                   | F6/A                 ||
  Or he'll say he's just not   the same,     and    you'll begin to won-der why you came.
```

Chorus 3 ||: *As Chorus 1* :||

Link 3

```
||: Bb            | F6/A          | Bb           | F6/A                      :||
                                                     How to save__ a life.
```

Chorus 4 ||: *As Chorus 1* :||

Link 4 ||: *As Link 3* :||

Outro

```
| Bb              | F6/A              | Bb              | F6/A              | Bb              ||
```

I CAN'T EXPLAIN

WORDS AND MUSIC BY PETE TOWNSHEND

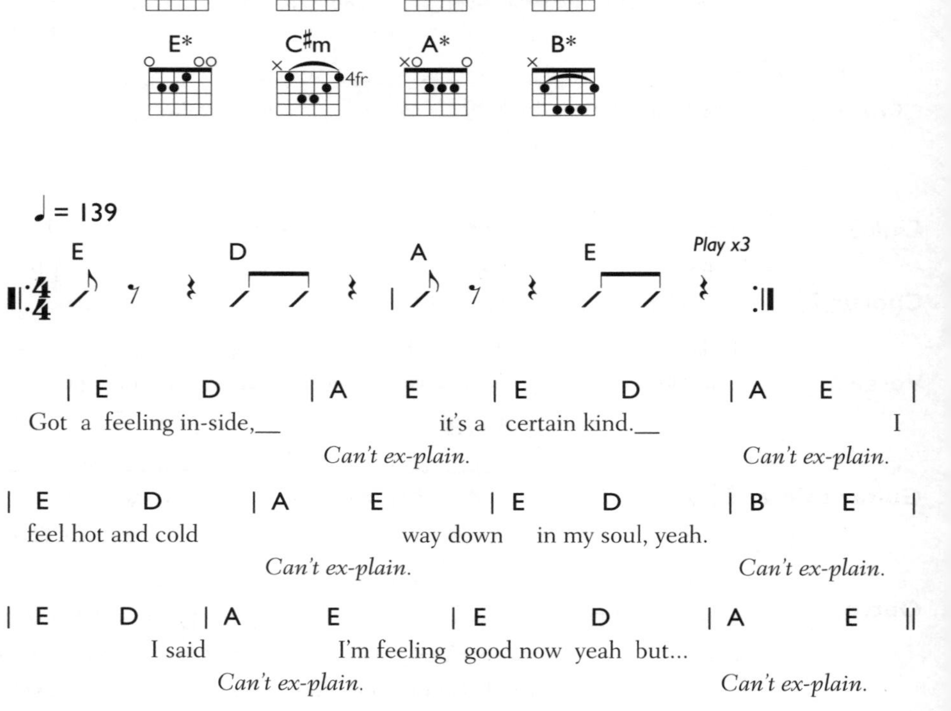

Intro ‖: 4/4 E / D / A / E / :‖ *Play x3*

Verse 1

| E D | A E | E D | A E |
Got a feeling in-side,__ it's a certain kind.__ I
Can't ex-plain. Can't ex-plain.

| E D | A E | E D | B E |
feel hot and cold way down in my soul, yeah.
Can't ex-plain. Can't ex-plain.

| E D | A E | E D | A E ||
I said I'm feeling good now yeah but...
Can't ex-plain. Can't ex-plain.

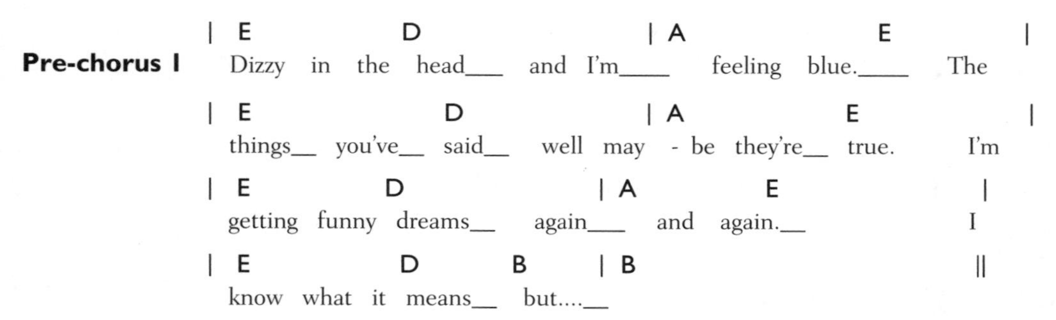

Pre-chorus 1

| E D | A E |
Dizzy in the head__ and I'm__ feeling blue.__ The

| E D | A E |
things__ you've__ said__ well may - be they're__ true. I'm

| E D | A E |
getting funny dreams__ again__ and again.__ I

| E D B | B ||
know what it means__ but....__

Chorus 1

| E* | C♯m | A* | B* |
Can't explain,_ I think it's love, try to say to you when I feel blue. But I

| E D | A E | E D | A E ||
can't ex - plain. *Can't ex-plain.* Yeah, hear what I say girl. *Can't ex-plain.*

Guitar solo

||: E / / / D / / / A / / / E / / / :||

Pre-chorus 2

| E D | A E |
Dizzy in the head___ and I'm___ feeling bad.___ The
| E D | A E |
things___ you've___ said___ have got___ me real___ mad. I'm
| E D | A E |
getting funny dreams___ again___ and again.___ I
| E D B | B ||
know what it means___ but...___

Chorus 2

| E* | C♯m | A* | B* |
Can't explain, I think it's love, try to say to you when I feel blue. But I
| E D | A E | E D | A E ||
can't ex - plain._ *Can't ex-plain.* Forgive me one more time now.*Can't ex-plain.*

Guitar solo 2

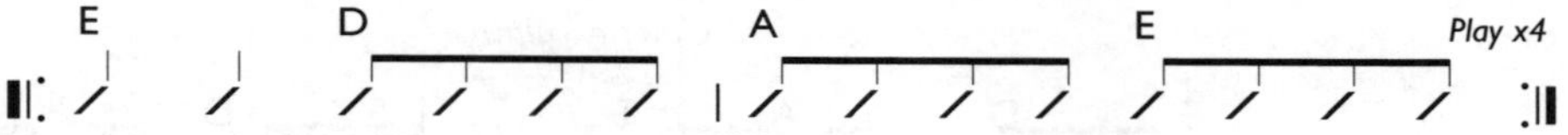

||: E / / D / / / / A / / / / E / / / / :|| *Play x4*

Outro

| E D | A E | E D | A E |
Said I can't ex - plain it._ You drive me out of my mind.
Can't ex-plain. *Can't ex-plain.*
| E D | A E | E D | A E ||
Yeah I'm the worrying kind, babe, said I can't ex-plain.
Can't ex-plain. *Can't ex-plain.*

I DON'T FEEL LIKE DANCIN'

WORDS AND MUSIC BY SCOTT HOFFMAN, JASON SELLARDS AND ELTON JOHN

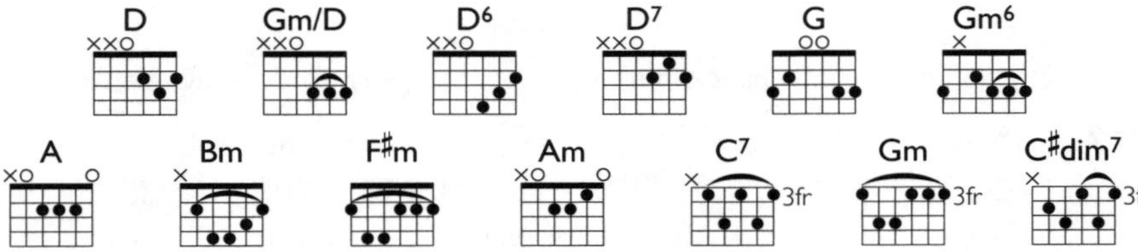

D Gm/D D6 D7 G Gm6
A Bm F#m Am C7 3fr Gm 3fr C#dim7 3fr

♩ = 108

Intro

D	Gm/D	D6
D7	G	Gm6
A			
	: D	:	

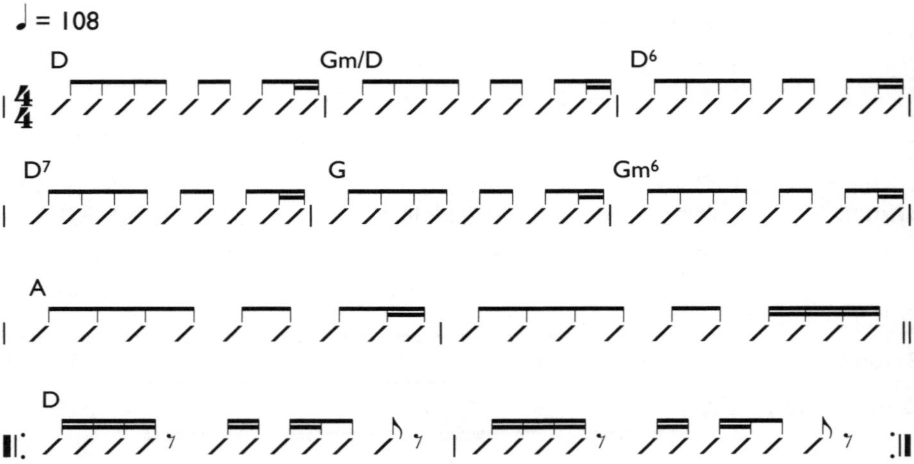

Verse 1

| D | D |
Wake up in the morning with a head_ like "what you done?"__ This
| G | G |
used to be the life, but I don't need another one.__
| D | D |
You like cutting up and carryin' on you wear them gowns, so
| G | G |
how come I feel so lonely when you're up getting down? So I'll__
| Bm | F#m |
play along__ when I hear that special song,
| Am | G |
I'm gonna be the one that gets it right.___
| Bm | F#m |
You'd better move when you're swing - ing 'round the room,
| Am | G ||
Looks like the magic's only ours tonight.________________ But I

Chorus 1

| D | D |
don't feel like dancin' when the old Joanna plays, my heart

| G | G |
could take a chance but my two feet can't find a way. You'd think that I

| A | C7 G |
could muster up a little soft shoe gentle sway, but I

| D | D |
don't feel like dancin', no sir, no dancin' today. Don't feel like

| D | D |
dancin', dancin', even if I find nothing better to do, don't feel like

| G | G |
dancin', dancin', why'd you pick a tune when I'm not in the mood? Don't feel like

| A | C7 G |
dancin', dancin', I'd rather be home with the one in the bed till dawn with you.

| D | D ||

Bridge 1

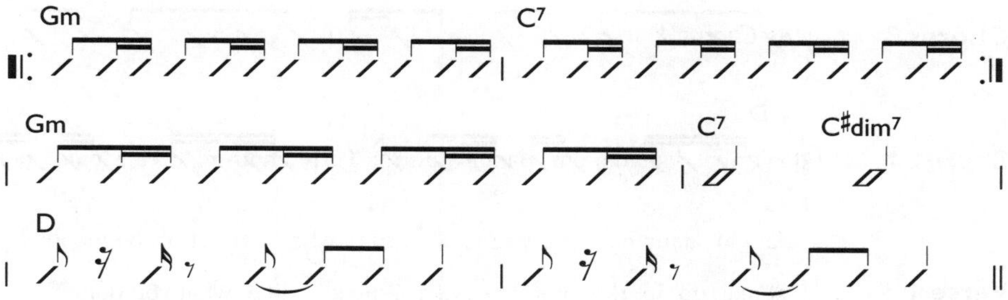

|: Gm | C7 :|

| Gm | C7 C♯dim7 |

| D | ||

Verse 2

| D | D |
Cities come and cities go just like the old empires, when

| G | G |
all you do is change your clothes and call that versatile. You

| D | D |
got so many colours, it'd make a blind man so confused, then

| G | G |
why can't I keep up when you're the on - ly thing I'd lose? So I'll___

| Bm | F♯m |
just pretend that I know which way to bend,

| Am | G |
I'm gonna tell the whole world that you're mine.___________

| Bm | F♯m |
Please understand when I see you clap your hands, if you___

| Am | G ||
stick around I'm sure that I'll be fine.______________ But I

Chorus 2 *As Chorus 1*

Bridge 2

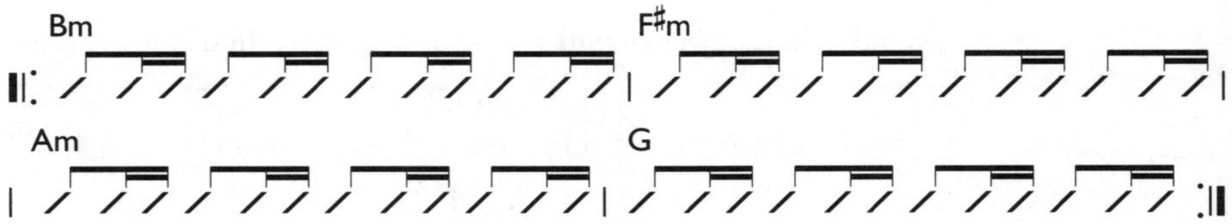

Bm | F♯m
Am | G

Mid-section

| D | Gm/D | D^6 |
You can't make me dance around, but your two step makes my

| D^7 | G | Gm |
chest pound, just lay me down___ as you float away into the

| A | A | A ||
shimmer lights.___ But I___

Chorus 3 *As Chorus 1*

Chorus 4

| D | D |
I don't feel like dancin', dancin', even if I find nothing better to do, don't feel like

| G | G |
dancin', dancin', why'd you pick a tune when I'm not in the mood? Don't feel like

| A | C^7 G |
dancin', dancin', I'd rather be home with the one in the bed till dawn with you._

| D | D ||

Outro

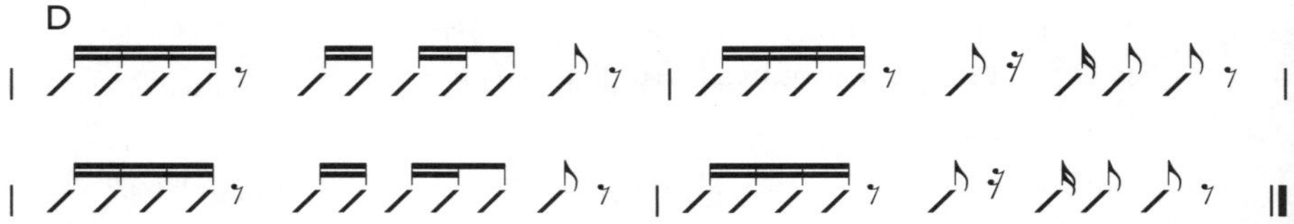

D

I WRITE SINS NOT TRAGEDIES

WORDS AND MUSIC BY BRENDAN URIE, RYAN ROSS, SPENCER SMITH AND BRENT WILSON

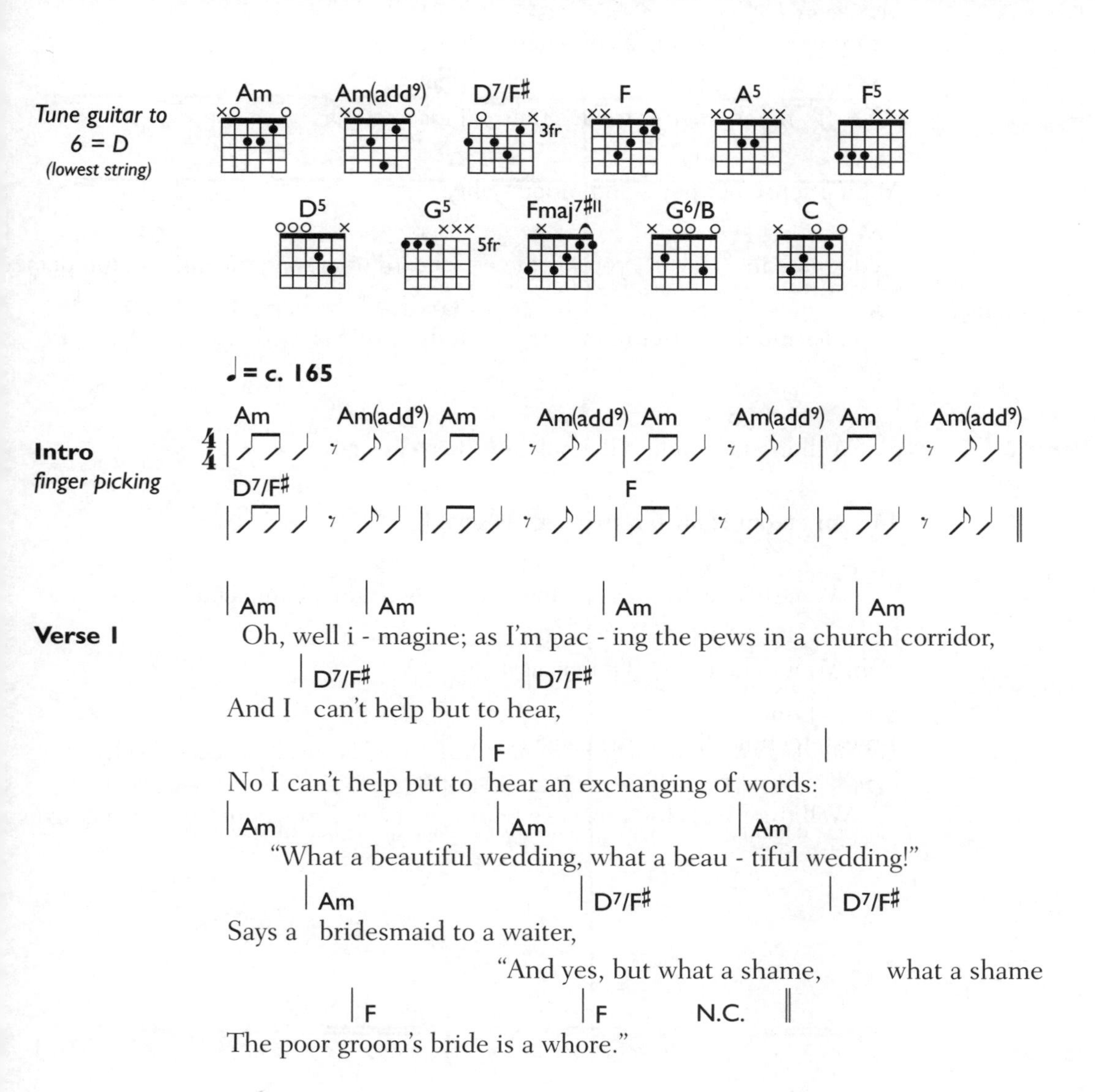

Chorus 1

| A5 / 𝄾 ♪ / | F5 / ♫♫ |
I'd chime in with a "Haven't you people ever

| D5 / / / | / / / G5 / / |
heard of closing a god - damn door?!"

| A5 | F5 | D5
No, it's much better to face these kinds of things

| D5 G5 |
With a sense of poise and ration - ality.

| A5 | F5 | D5 | D5 G5 |
I'd chime in "Haven't you people ever heard of closing the god - damn door?!

| A5 | F5 | D5 | D5 G5 ||
No, it's much better to face these kinds of things with a sense of…

Verse 2

| Am | Am | Am
Well in fact well, I'll look at it this way,

| Am |
I mean technically our marriage is saved!

| D/F♯ | D/F♯ | F | F |
Well this calls for___ a toast so___ pour the champagne!

| Am | Am | Am
Oh! Well in fact, I'll look at it this way,

| Am |
I mean technically our marriage is saved!

| D/F♯ | D/F♯ | Fmaj7♯11 | Fmaj7♯11 ||
Well this calls for a toast so pour the champagne, pour the champagne!

Bridge

Fmaj7#11 D5 G6/B

Chorus 2

As Chorus 1

Middle

Fmaj7#11 D5 G6/B

poise and rationality.

Fmaj7#11 D5

Fmaj7#11 | Fmaj7#11 G6/B | C | C | Fmaj7#11 | Fmaj7#11

A - gain.

Chorus 3

As Chorus 1

Outro

Fmaj7#11 D5 G6/B

poise and rationality.

Fmaj7#11 D5

Fmaj7#11 | Fmaj7 G6/B | C | C

A - gain.

Fmaj7#11 D5

Fmaj7#11

INTO OBLIVION

WORDS AND MUSIC BY DARRAN SMITH, MATTHEW DAVIES,
KRIS ROBERTS, GARETH DAVIES AND RYAN RICHARDS

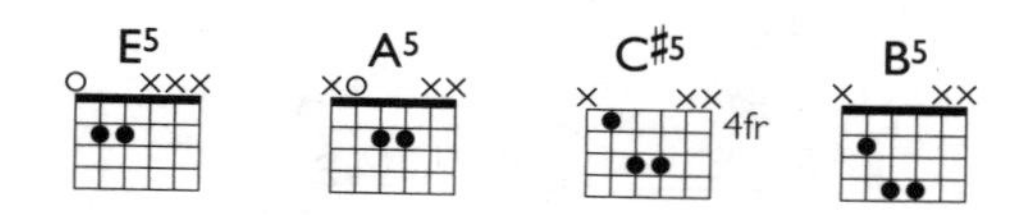

♩ = 131

Intro

E5
‖: 4/4 / / / / | / / / / :‖

Link 1

E5 A5
‖: //////// | //////// | //////// | //////// |

C#5 B5
| //////// | //////// | //////// | //////// :‖ *Play x3*

Verse 1

| E5 | E5 | A5 | A5 |
The days___ I've felt___ alone,___ and the___

| C#5 | C#5 | B5 | B5 |
sea___ it brings___ me back___ again___ so that___

| E5 | E5 | A5 | A5 |
I could see my wife___ and I could see my child.___

| C#5 | C#5 | B5 | B5 ‖
Oh, man, home it ne - ver_ changes, same old faces, same___ old places.

Chorus 1

| C#5 | A5 | E5 | B5 |
I___ stared__ into ob - li - vion,__ and found__ my home,

| C#5 | A5 | E5 | B5 | B5 ‖
I___ stared__ into ob - li - vion,__ into ob - li - vion.__

Bridge 1

As Link 1 (x1)

Verse 2

| E5 | E5 | A5 | A5 |
Find____ in me______ the home__ that you___
| C#5 | C#5 | B5 | B5 |
________ have ne - ver known.__
| E5 | E5 | A5 | A5 |
Find_____ in us______ the faith,__ the faith___
| C#5 | C#5 | B5 | B5 ||
________ to bring_____ you home.________

Chorus 2

| C#5 | A5 | E5 | B5 |
I________ stared__ into ob - li - vion,__ and found__ my home,
| C#5 | A5 | E5 | B5 |
I________ stared__ into ob - li - vion,__ and found__ my home.
| C#5 | A5 | E5 | B5 |
I________ stared__ into ob - li - vion,__ and found_ my own reflec -
| C#5 | A5 | E5 | B5 | B5 ||
- tion there.__ (Reflec - tion there.)__

Bridge 2

E5
| ◊ | ◊ ||

Mid-section

||: E5 | E5 | A5 | A5 |
Home, now that I'm coming home,__ will you be the

Play x3

| C#5 | C#5 | B5 | B5 :||
same as when I saw you last? Tell me how much time has passed.

Outro

| E5 | E5 | A5 | A5 |
I________ stared__ into ob - li - vion,__ and found__ my home,
| C#5 | C#5 | B5 | B5 |
I________ stared__ into ob - li - vion,__ and found__ my home,
| E5 | E5 | A5 | A5 |
I________ stared__ into ob - li - vion,__ and found__ my home,
| C#5 | C#5 | B5 | B5 | E5 ||
I_____ stared_ into ob- li-vion,__ and found my own reflec - tion there.

IT'S NOT OVER YET

WORDS AND MUSIC BY PAUL OAKENFOLD, MICHAEL WYZGOWSKI AND ROBERT DAVIS

A F♯m7 C♯m A5 F♯5 C♯5

♩ = 152

(A)

Synth. Intro ||: 4/4 | | | :||

Verse 1

| A | F♯m7 | C♯m | C♯m |
I'd live for you, I'd die for you, do what_

| A | F♯m7 | C♯m | C♯m |
you want me to. I'd cry_

| A | F♯m7 | C♯m | C♯m |
for you, my tears will show that I_

| A | F♯m7 | C♯m | C♯m ||
can't let you go.

Instrumental ||: A / / / / | / / / / | F♯m7 / / / / | / / / / |
| C♯m / / / / | / / / / | C♯m / / / / | / / / / :||

Chorus 1

| A5 | F♯5 | C♯5 |
It's not o - ver, not o - ver, not o - ver, not over yet._
You still_

| C♯5 | A5 | F♯5 |
It's not o - ver, not over, not o - ver, not over yet.
want me, don't you?

| C♯5 | C♯5 | A5 |
It's not o - ver, not over, not o -
'Cause I can see through you.

| F♯5 | C♯5 | C♯5 |
- ver, not o - ver yet._ *It's not o -*
You still_ want me,_ don't you?

| A5 | F♯5 | C♯5 | C♯5 ||
- ver, not o - ver, not o - ver, not over yet._ Don't let____

Verse 2

| A | A | C#m | C#m |
me down, don't make a sound, don't throw_

| A | A | C#m | C#m |
it all_ a - way. Remem -

| A | F#m7 | C#m | C#m |
- ber me_ so ten - derly, don't let

| A | F#m7 | C#m | C#m ||
it slip_ a - way._

Inst. 2 *As Instrumental 1*

Chorus 2 *As Chorus 1*

Inst. 3

||: A / / / / / / / / | F#m7 / / / / / / / / |
| C#m / / / / / / / / | C#m / / / / / / / / :||

| (A) / (F#) / (G#) / (C#) / (C#) / | (A) / (F#) / (G#) / (C#) / (C#) / |
| (A) / (F#) / (G#) / (C#) / (C#) / | (A) / (F#) / (G#) / (C#) / (C#) / ||

Chorus 3 *As Chorus 1*

Outro

||: A / / / / / / / / | A / / / / / / / / |
| A / / / / / / / / | A / / / / / / / / :||

| A | | | ||

KINKY AFRO

WORDS AND MUSIC BY SHAUN RYDER, PAUL RYDER, MARK DAY, PAUL DAVIS AND GARY WHELAN

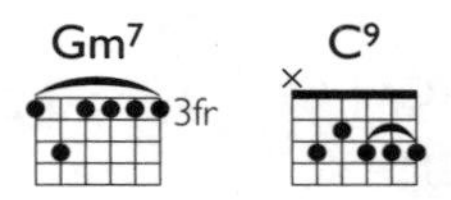

♩ = 117

Intro

Gm7 C9

Gm7 C9 *play x3*

Verse 1

| Gm7 C9 | C9 | Gm7 C9 |
Son, I'm thir - ty. I only went with your mother 'cause she's dir -

| C9 | Gm7 C9 | C9 |
- ty. And I don't have a decent bone in me, what you get

| Gm7 C9 | C9 | Gm7 C9 |
is just what you see, yeah. I should so I take it

| C9 | Gm7 C9 | C9 |
free, yeah, and all the bad piss ugly things I feed me. I never

| Gm7 C9 | C9 | Gm7 C9 | C9 ||
help or give to the need - y. Come on and see me.

Chorus 1

| Gm7 C9 | C9 |
Yip - pee - ip - pee - ey - ey - ay - yey - yey. I had to

| Gm7 C9 | C9 | Gm7 C9 |
crucify some brother to - day, and I don't dig what you gotta say,

| C9 | Gm7 C9 | C9
So come on and say it.

| *As Intro*

Instrumental 1 Come on and tell me twice.

Verse 2

| Gm⁷ C⁹ | C⁹ | Gm⁷ |
I said Dad,______ you're a shab - by.__ You run a - round__ and groove like a bag -

| C⁹ | Gm⁷ C⁹ | C⁹ |
- gy.__ You're only here___ just out of ha - bit.__ All that's mine_

| Gm⁷ C⁹ | C⁹ | Gm⁷ C⁹ |
you might as well have it. You take ten__ p__ back and then stab_

| C⁹ | Gm⁷ C⁹ | C⁹ | Gm⁷ C⁹ |
it.__ Spray it on and tag_ it._____ So sack on me, I

| C⁹ | Gm⁷ C⁹ | C⁹ ||
can't stand the needy._ Get around here, if you're ask - ing you're feeling.

Chorus 2

| Gm⁷ C⁹ | C⁹ |
Yip - pee - ip - pee - ey - ey - ay - yey - yey. I had to

| Gm⁷ C⁹ | C⁹ | Gm⁷ C⁹ |
crucify somebody to - day.__ And I don't dig__ what you gotta say,

| C⁹ | Gm⁷ C⁹ | C⁹
So come on and say_ it.___________

Instrumental 2

| *As Intro*
Come on and tell__ me__ twice.__

Instrumental 3 *As Intro*

Mid-section

| Gm⁷ C⁹ | C⁹ |
So sack all the needy.__ I can't stand to leave__ it. You

| Gm⁷ C⁹ | C⁹ ||
come around here__ and you put_ both your feet__ in.

Chorus 3 *As Chorus 2*

Chorus 4 *As Chorus 1*

Outro

| *As Intro - repeat til fade*
Come on and tell__ me__ twice.__

MORDEN

WORDS AND MUSIC BY JOEL COX, STEPHEN LEACH,
RHYS JONES AND THOMAS JONES

Em7sus4 (12fr) F#m7 (9fr) E6 (7fr) D (5fr) C#m (4fr) Bm A6

♩ = 172

Intro

Em7sus4
| 4/4 / / / / | / / / / | / / / / | / / / / ||

F#m7 | E6 | D | (D) :||

Verse 1

| F#m7 | E6 | D |
You can go and eat your Chinese food over drunken fools singing

| D | F#m7 | E6 |
eighties tunes. And they'll be singing out of tune,_ saying_

| D | D | F#m7 E6 |
get the foreigners out of my a - re - a. And__ a skin - head in a Bur -

| D | F#m7 E6 | D |
- berry coat. This is not the sort of place you wanna take your kids to.

| F#m7 E6 | D | F#m7 E6 | D ||
Fifty pound shops, and_ nothing left to in - spire_ me. Oh in

Chorus 1

| F#m7 E6 | D | F#m7 E6 | D |
Mor - den.__ Well in Mor - den._ Oh in
Mor - den.

| F#m7 E6 | D | F#m7 E6 | D | D ||
Mor - den.__ Mor - den._
Mor - den.

Verse 2

| F#m7 | E6 | D |
Staring at the government not noticing the queen._ A_ Superdrug and a_

| D | F#m7 | E6 |
K_ F_ C,_ is this everything you need for a cultured_ city? Or is this

| D | D | F#m7 E6 |
everything you need to promote_ burglary? Don't get this in the count -

cont.

| D | F♯m7 E6 | D |
- ry - side._ A skin-head coming at you with a knife. Oh but you

| F♯m7 E6 | D | F♯m7 E6 | D ||
do.___ Must be something wrong with our so - ciety. Or is it

Chorus 2

| F♯m7 E6 | D | F♯m7 E6 | D |
Mor - den?__ Is it_ Mor - den?_ Is it
Mor - den.

| F♯m7 E6 | D | F♯m7 E6 | D | D ||
Mor - den?__ Mor - den._
Mor - den.

Guitar solo

F♯m7	E6	D		F♯m7
E6	D	
: F♯m7	E6	D	:	

Verse 3

| F♯m7 | E6 | D | D |
I read the news today, a youth killed himself in a horrible way. He hung

| F♯m7 | E6 | D | D |
him - self_________ from the local supermarket_ car__ park.___

| F♯m7 E6 | D |
Walking down_ Ca - non Hill Lane__ I saw the

| F♯m7 E6 | D | F♯m7 E6 |
flowers lay where a car_ crash took place. A drug dealer crashed in -

| D | F♯m7 E6 | D ||
- to a chicane. It sort of sums up where we live. Oh in

Chorus 3

| F♯m7 E6 | D | F♯m7 E6 | D |
Mor - den.__ Well in Mor - den._ Well in
Mor - den.

| F♯m7 E6 | D | F♯m7 E6 | D | D ||
Mor - den.__ Well in Mor - den._
Mor - den.

Outro

| C♯m | Bm | A6 ||

NEW SHOES

WORDS AND MUSIC BY PAOLO NUTINI, MATTY BENBROOK AND JIM DUGUID

A5 A9sus4 A C G E D

♩ = 150

Capo 1st fret

Intro

| 4/4 A5 A9sus4 | - | A5 | - ||

Verse 1

| A | A | C |
Woke up cold one Tues - day, I'm looking tired and feel -
| G | A | A |
- ing quite sick. I felt like there was some - thing missing in my
| C | E | A | A |
day to day life. So I quickly opened the ward - robe,
| C | G |
Pulled out some jeans and a T shirt that seemed clean.
| A | A | C |
Topped it off with a pair of old shoes that were ripped around the seams.
| E | G | G ||
And I thought, these shoes just don't suit me.

Chorus 1

| A | E | D |
Hey, I put some new shoes on, and sud - denly everything's right.
| D | A | E |
I said___ hey,_ I put some new shoes on and ev -
| D | D G | A |
- 'rybody's smiling, it's so inviting. Oh,_ short on money but
| E | D | D |
long on time,___ slowly strolling in the sweet sun - shine. And I'm
| A | E |
running late and I don't need an excuse,__ 'cause I'm
| D | D G ||
wearing my brand new shoes.

Verse 2

| A5 | A5 | A5 |
Woke up late one Thurs - day, and I'm seeing stars as I'm

| A5 | A5 | A5 |
rubbing my eyes. And I felt like there were two days missing as I

| C | G | A |
focused on___ the time. And I made my way to the kit -

| A | C | G |
- chen, but I had to stop from the shock of what I found.

| A | A | C |
A room full of all of my friends all danc - ing round and round.

| E | G | G ||
And I thought, hello new shoes, bye bye them blues.

Chorus 2 *As Chorus 1*

Bridge

A5 A G

Mid-section

| A | A | A |
Take me wandering through these streets, where bright lights and an -

| A G | A | A |
- gels_ meet, stone to stone they take me on, I'm

| A | A G | A |
walking till the break of dawn. Take me wandering through

| A G | A | A G |
these streets, where bright lights and an - gels meet,

| A | A G | A | A ||
Stone to stone they take me on I'm walking till the break of dawn.

Chorus 3 ||: *As Chorus 1* :||

PROUD MARY

WORDS AND MUSIC BY JOHN FOGERTY

C A G F D Bm

♩ = 121

Intro

| 4/4 C A | C A | C A G F |
| | D | | ||

Verse 1

| D | D | D |
Left a good job in the city, working for the man every
| D | D | D |
night and day, and I never lost one mi - nute of sleeping,
| D | D ||
Worrying 'bout the way__ things__ might have been.

Chorus 1

| A | A | Bm | Bm |
Big wheels keep on tur - nin', Proud_ Mary keep on bur - nin'. Rol -
| D | D | D | D ||
- lin', rol - lin', rol - lin' on the river.______

Verse 2

| D | D | D |
Cleaned a lot of plates in Mem - phis, pumped a lot of pain down in
| D | D | D |
New Orleans. But I never saw the good side of the city_
| D | D ||
'Til I hitched a ride__ on a riverboat__ queen.__

Chorus 2 *As Chorus 1*

Bridge 1 *As Intro*

Instrumental ||: D / / / / / / / / | / / / / / / / / | / / / / / / / / | / / / / / / / / :||

| A / / / / / / / / | / / / / / / / / | Bm / / / / / / / / / / / / | / / / / / / / / / / ||

Chorus 3

| D | D | D | D ||
Rol - lin', rol - lin', rol - lin' on the ri - ver._____

Bridge 2 *As Intro*

Verse 3

| D | D | D |
If you come down to the ri - ver, bet you gonna find some peo -

| D | D | D |
- ple who live. You don't have to worry, well, you have no money,

| D | D ||
People on the river are hap - py to give._

Chorus 4 *As Chorus 1*

Outro

||: D | D | D | D :||
Rol - lin', rol - lin', rol - lin' on the river._____

REHAB

WORDS AND MUSIC BY AMY WINEHOUSE

C7 G7 3fr F7 Em Am F Fm/A♭

♩ = 145

Chorus 1

| 4/4 C7 | C7 | C7 | C7
They tried to make me go to re - hab, I said no, no, no.

| C7 | C7 | C7 | C7 |
Yes I've been black but when__I come back no, no, no.

| G7 | G7 | F7 | F7 |
I ain't got the time,___ and if my daddy thinks I'm fine. They

| C7 | F7 | C7 | C7 ||
tried to make me go to re - hab, I won't go, go, go.

Verse 1

| Em | Em | Am | Am |
I'd rather be at home____ with Ray,_____

| F | F | Fm/A♭ | Fm/A♭ |
I ain't__ got seventy days.____________ 'Cause there's

| Em | Em | Am | Am |
nothing,_ there's nothing you can teach me,___ that

| F | F | Fm/A♭ | Fm/A♭ |
I can't learn__ from mister Ha - tha-way._______

| G7 | G7 | G7 | G7 |
Didn't get a lot in class,___ but I

| F7 | F7 | F7 | F7
know___ it___ don't___ come_ in____ a____ shot___ glass._

Chorus 2 *As Chorus 1*

Verse 2

| Em | Em | Am | Am |
The man said "Why do you think you__ here?"__

| F | F | Fm/A♭ | Fm/A♭ |
I said__ "I got no___ idea."_____ I'm

cont.

| Em | Em | Am | Am |
gonna, I'm gonna lose my ba - by.___

| F | F | Fm/A♭ | Fm/A♭ |
So I___ always keep a bottle___ near.___

| G^7 | G^7 | G^7 | G^7 |
He said, "I just think you're de - pressed."__

| F^7 | F^7 | F^7 | F^7 ||
This me, "Yeah, baby, and___ the_ rest."___ They

Chorus 3

| C^7 | C^7 | C^7 | C^7 |
tried to make me go to re - hab, I said no, no, no. Yes___

| C^7 | C^7 | C^7 | C^7 ||
I've been black but when I come back no, no, no.

Verse 3

| Em | Em | Am | Am |
I don't e - ver want to drink___ again,___

| F | F | Fm/A♭ | Fm/A♭ |
I just, ooh___ I just need a friend.

| Em | Em | Am | Am |
I'm not gonna spend ten___ weeks,__ have

| F | F | Fm/A♭ | Fm/A♭ |
ev - 'ry - one think___ I'm on___ the___ mend.___

| G^7 | G^7 | G^7 | G^7 |
It's not just my pride,__

| F^7 | F^7 | F^7 | F^7 |
It's___ just___ till___ these tears___ have___ dried.___

Chorus 4 *As Chorus 1*

I'M GONNA BE (500 MILES)

WORDS AND MUSIC BY CHARLES REID AND CRAIG REID

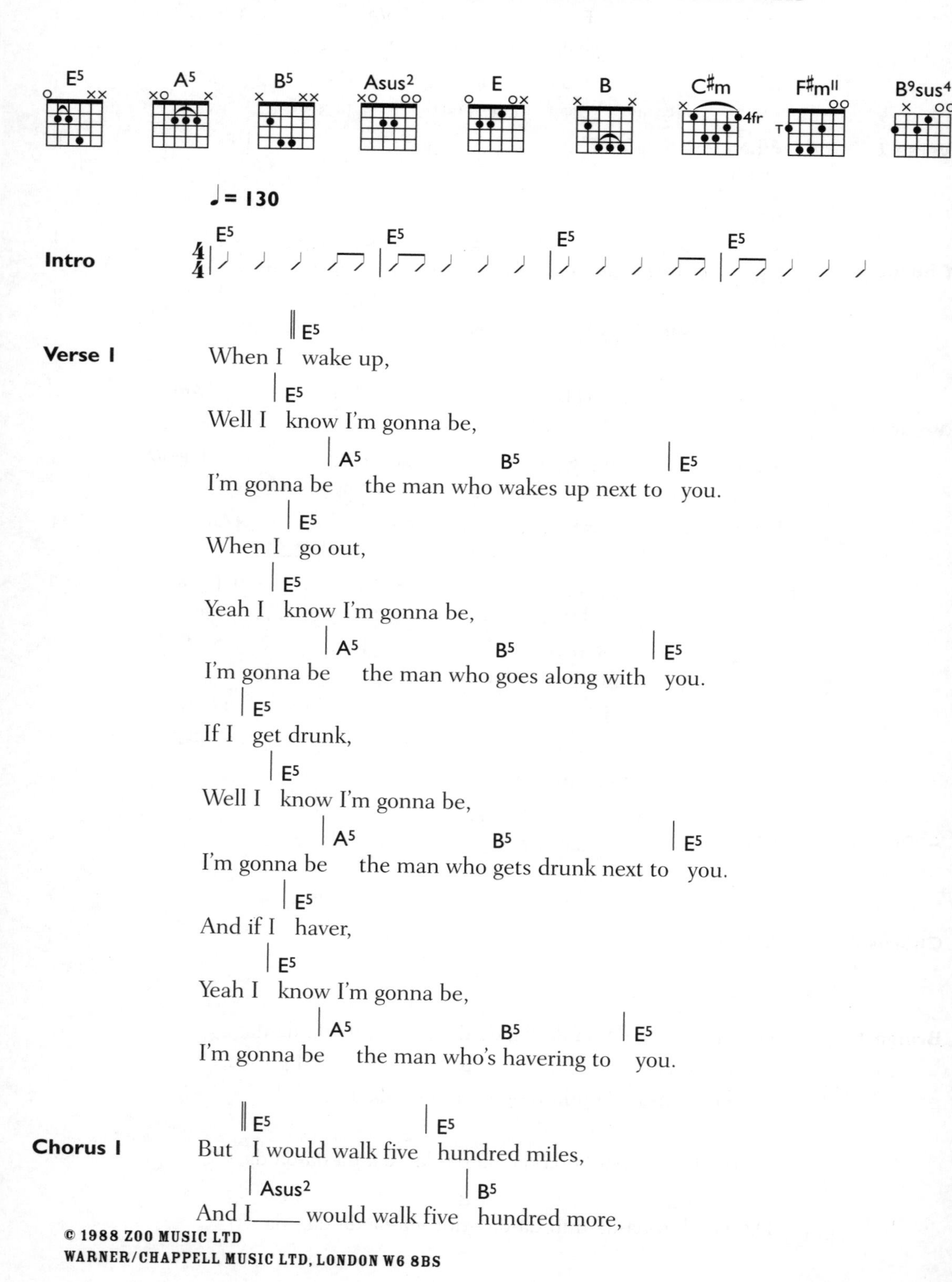

cont.

| E5 | E5 | Asus2
Just to be the man who walked that thousand miles
| B5
To fall down at your door.

Verse 2

‖ E5
When I'm working,
| E5
Yes I know I'm gonna be,
| A5 B5 | E5
I'm gonna be the man who's working hard for you.
| E5
And when the money
| E5
Comes in for the work I do
| A5 B5 | E5
I'll pass almost every penny on to you.
| E5
When I come home, *(when I come home),*
| E5
Oh I know I'm gonna be,
| A5 B5 | E5
I'm gonna be the man who comes back home to you.
| E5
And if I grow old,
| E5
Well I know I'm gonna be,
| A5 B5 | E5
I'm gonna be the man who's growing old with you.

Chorus 2

As Chorus 1

Bridge 1

‖ E | E
Da-da-da - da, da-da-da-da, da-da-da - da, da-da-da-da,
| Asus2 B | E
Da-da dun-da-da-dun-da-da - dun-da-da da-da - da.
| E | E
Da-da-da - da, da-da-da-da, da-da-da - da, da-da-da-da,
| Asus2 B | E ‖
Da-da dun-da-da-dun-da-da - dun-da-da da-da - da.

Link

E5 | E5
| / / / / / | / / / / / /

Verse 3

|| E5
When I'm lonely,

| E5
Well I know I'm gonna be,

| A5 B5 | E5
I'm gonna be the man who's lonely without you.

| E5
And when I'm dreaming,

| E5
Well I know I'm gonna dream,

| A5 | B5 | E5
I'm gonna dream about the time when I'm with you.

| E5
When I go out, *(when I go out)*

| E5
Well I know I'm gonna be,

| A5 B5 | E5
I'm gonna be the man who goes along with you.

| E5
And when I come home, *(when I come home),*

| E5
Yes I know I'm gonna be,

| A5 B5 | C#m
I'm gonna be the man who comes back home with you

2/4 | F#m11 4/4 | B9sus4 | E5 | E5
I'm gonna be the man who's coming home with you.

Chorus 3

As Chorus 1

Bridge 2

||: *As Bridge 1* :||

Chorus 4

|| E
And I would walk five hundred miles,

| Asus2 B
And I would walk five hundred more,

| E | Asus2
Just to be the man who walked a thousand miles

B | E ||
To fall down at your door.____

ROOTLESS TREE

WORDS AND MUSIC BY DAMIEN RICE

Em9 Csus2 Gsus2 D(add4)/F# Am(add9)

Cmaj7 Em9/D Em C G D/F#

Capo fourth fret

♩ = 82

Intro

| 4/4 Em9 Csus2 | Gsus2 D(add4)/F# | Em9 Csus2 | Gsus2 D(add4)/F# :||
(finger-picked acoustic guitar)
2° What I want

Verse 1

| Em9 Csus2 | Gsus2 D(add4)/F# |
from you is empty___ your head. Well they say,

| Em9 Csus2 | Gsus2 D(add4)/F# |
"Be true,___ don't stain your bed." And

| Em9 Csus2 | Gsus2 D(add4)/F# |
we do what we need to be free and it

| Am(add9) | Cmaj7 ||
leans_________ on me like a root - less tree. What I want

Verse 2

| Em9 Csus2 | Gsus2 D(add4)/F# |
from us is empty___ our minds. And we fake

| Em9 Csus2 | Gsus2 D(add4)/F# |
a fuss and fracture the times.

| Em9 Csus2 | Gsus2 D(add4)/F# |
We___ go blind when we've___ needed to see, and this

| Am(add9) | Cmaj7 Em9/D ||
leans_________ on me like a root - less... So

Chorus 1

| Em C | G D/F# |
Fuck you, fuck you, fuck you, and all we've been through. I said

| Em C | G D/F# |
Leave it, leave it, leave it, it's no - thing to you. And if you

| Em C | G D/F# |
Hate me, hate me, hate me,_____ then hate me so good that you can

cont.

| Em C | G D/F# |
Let me out, let me out, let me out of this hell when you're around.___

| Em C | G D/F# |
Let me out, let me out, let me out hell when you're around.___

| Em C | G D/F# ||
Let me out, let me out, let me out. What I want

Verse 3

| Em9 Csus2 | Gsus2 D(add4)/F# |
from this___ is learn to let go.___ No not

| Em9 Csus2 | Gsus2 D(add4)/F# |
of you, of all that's been told.

| Em9 Csus2 | Gsus2 D(add4)/F# |
Kil - lers re - in - vent___ and be - lieve, and this

| Am(add9) | Cmaj7 Em9/D ||
leans________ on me like a root - less... So

Chorus 2

| Em C | G D/F# |
Fuck you, fuck you, fuck you, and all we've been through. I said

| Em C | G D/F# |
Leave it, leave it, leave it, it's no - thing to you. And if you

| Em C | G D/F# |
Hate me, hate me, hate me,____ then hate me so good that you can

||: Em C | G D/F# :||
Let me out, let me out, let me out of this hell when you're around.___

||: Em C | G D/F# :||
Let me out, let me out, let me out, hell when you're around.___

play x4

||: Em C | G D/F# :||
Let me out, let me out, let me out, let me out...

Chorus 3

```
| Em           C              | G             D/F#                        |
  Fuck you,    fuck you,  I     love you,  and all    we've been through. I said

| Em           C              | G             D/F#                        |
  Leave it,    leave it,        leave it, it's no  -  thing to you. And if you

| Em           C              | G                       D/F#              |
  Hate me,     hate me,         hate me,____ then hate me so good that you can
                                                              Play x3
||: Em             C             | G              D/F#        :||
    Let me out,    let me out,     let me out,    let me out.

| Em             C             | G              D/F#             ||
  Let me out,    let me out,     let me out.________
                                                              Play x4
||: Em             C             | G              D/F#        :|| Em (fermata)  ||
    Let me out,    let me out, let me out,   hell when you're around.___
```

SET THE FIRE TO THE THIRD BAR

WORDS AND MUSIC BY GARY LIGHTBODY, NATHAN CONNOLLY, JONATHAN QUINN, PAUL WILSON AND TOM SIMPSON

Bm Asus2 G Bm* D

Dadd9/A Cadd9 Asus2/C♯ G/D

♩ = 96

Intro | 4/4 Bm | Asus2 G | Bm | Asus2 G ||

Verse 1 & 2

||: Bm | Asus2 G |
1. I find the map___ and draw a straight line,
2. I hang my coat___ up in the first bar,

| Bm | Asus2 G |
Over ri - vers, farms and state lines.
There is no peace___ that I've found so far.

| Bm | Asus2 G |
The distance from___ A to where you'd B
The laughter pen - e - trates my silence,

| Bm | Asus2 G |
It's only fing - er lengths that I see.
As drunken men___ find flaws in science.

| Bm | Asus2 G |
I touch the place___
Their words mostly nois - es,

| Bm | Asus2 G |
Where I'd find your face.___
Ghosts with just voic - es

| Bm | Asus2 G |
My fingers in creas - es
Your words in my mem - 'ry

| Bm | Asus2 G :||
Of distant dark plac - es.
Are like music to me.

Chorus 1

| Bm* | D |
And miles______ from where you are____ I

| Dadd9/A | G |
Lay___ down on the cold__ ground and I

| Bm* | D |
I pray that something picks me up______ and

| Dadd9/A |Cadd9 | Cadd9 ||
Sets me down__ in your warm arms.

Verse 3

| Bm | Asus2 G |
After I_____ have travelled so far

| Bm | Asus2 G |
We'd set the fire_____ to the third bar.

| Bm | Asus2 G |
We'd share each oth - er like an island

| Bm | Asus2 G |
Until ex - haus - ted close our eyelids.

| Bm | Asus2 G |
And dreaming pick up from__

| Bm | Asus2 G |
The last place we left off.

| Bm | Asus2 G |
Your soft skin__ is weep - ing

| Bm | Asus2/C# G/D ||
A joy you can't keep in.___

Chorus 2 *As Chorus 1*

Chorus 3

| Bm* | D |
And miles______ from where you are____ I

| Dadd9/A | G |
Lay___ down on the cold__ ground and I

| Bm* | D |
I pray that something picks me up______ and

| Dadd9/A | Cadd9 | Cadd9 | G ||
Sets me down__ in your warm arms.

SETTING OF THE SUN

WORDS AND MUSIC BY SETH LAKEMAN

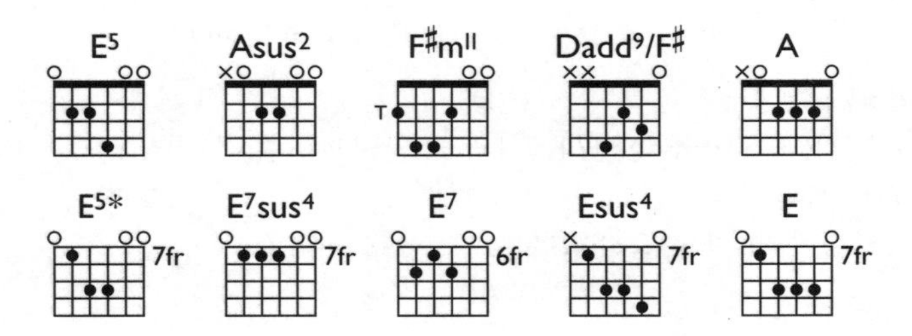

Capo 1st Fret

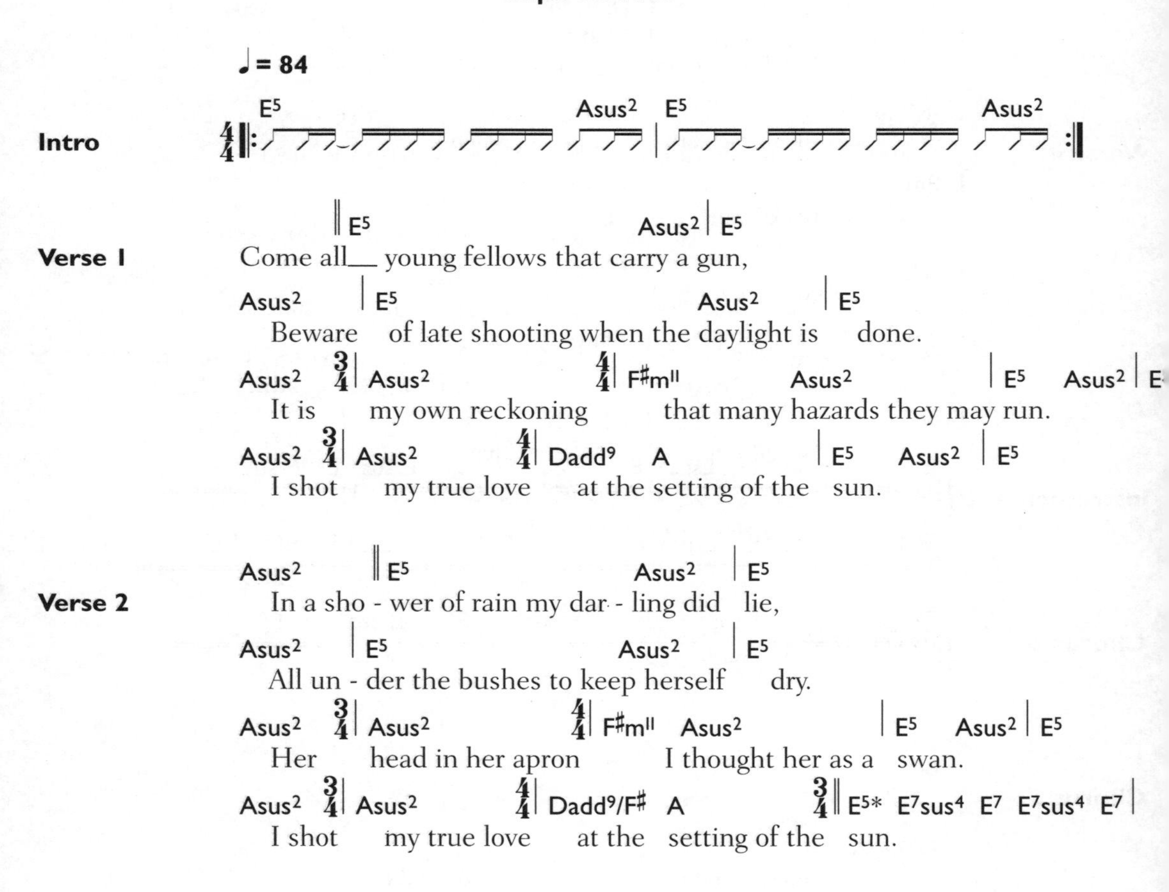

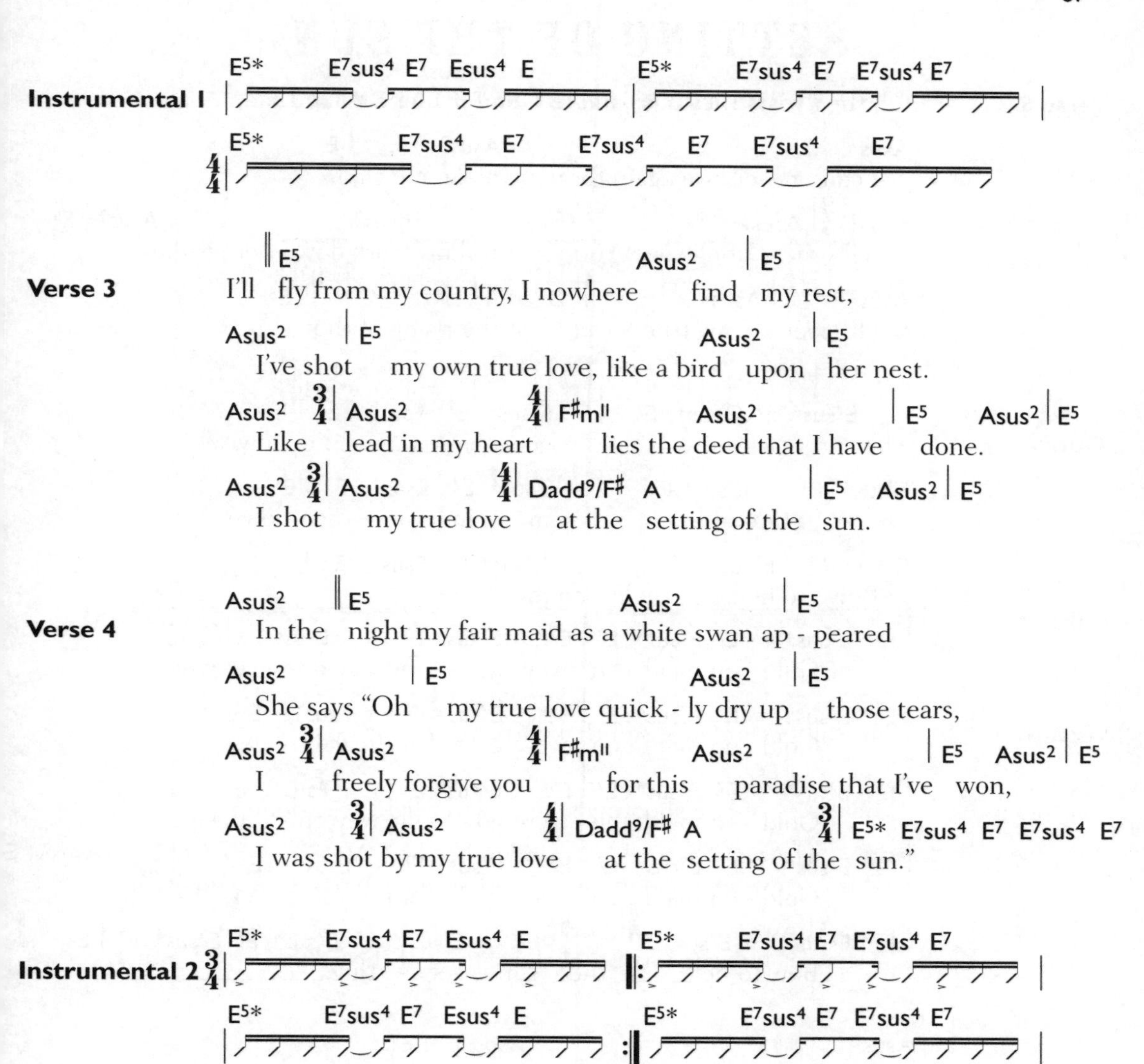
Instrumental 1
E5* E7sus4 E7 Esus4 E E5* E7sus4 E7 E7sus4 E7
E5* E7sus4 E7 E7sus4 E7 E7sus4 E7
Verse 3
E5 Asus2 E5
I'll fly from my country, I nowhere find my rest,
Asus2 E5 Asus2 E5
I've shot my own true love, like a bird upon her nest.
Asus2 Asus2 F♯m11 Asus2 E5 Asus2 E5
Like lead in my heart lies the deed that I have done.
Asus2 Asus2 Dadd9/F♯ A E5 Asus2 E5
I shot my true love at the setting of the sun.
Verse 4
Asus2 E5 Asus2 E5
In the night my fair maid as a white swan ap - peared
Asus2 E5 Asus2 E5
She says "Oh my true love quick - ly dry up those tears,
Asus2 Asus2 F♯m11 Asus2 E5 Asus2 E5
I freely forgive you for this paradise that I've won,
Asus2 Asus2 Dadd9/F♯ A E5* E7sus4 E7 E7sus4 E7
I was shot by my true love at the setting of the sun."
Instrumental 2
E5* E7sus4 E7 Esus4 E E5* E7sus4 E7 E7sus4 E7
E5* E7sus4 E7 Esus4 E E5* E7sus4 E7 E7sus4 E7
E5* E7sus4 E7 E7sus4 E7 E7sus4 E7

Verse 5

```
                || E5                              Asus2     | E5
Oh the   years they pass and leave me     lonely   and sad.
Asus2  | E5                                   Asus2      | E5
  I can   never love again for none make me glad.
Asus2 3/4| Asus2              4/4| F#m11          Asus2           | E5   Asus2 | E5
  I'll wait   and expect you        until my work down here is done,
Asus2       3/4| Asus2          4/4| Dadd9/F#  A      3/4| E5*
  I'll meet      my true love        at the rising of the   sun.
```

Outro

```
     E7sus4  E7  E7sus4  E7   || E5* E7sus4  E7   Esus4  E  | E5*
The sun    is  set  -   ting,    go  -  ing  way    on   down
E7sus4  E7       E7sus4 E7  | E5*  E7sus4  E7   Esus4   E  | E5*
Ov   -  er the val  -  ley,     go  -  ing  way    on   down
E7sus4  E7    E7sus4  E7  | E5       E7sus4  E7   Esus4   E  |
  Bow   to her,____  gold - en maid - en,
| E5* E7sus4     E7  E7sus4  E7 | E5*    E7sus4  E7        Esus4   E   |
          Gold - en maid - en    wow, go  -  ing way on        down,
| E5* E7sus4     E7  E7sus4  E7 | E5*    E7sus4  E7      Esus4   E  |
          Gold - en maid - en    wow, ov  -  er the val  -  ley,
| E5* E7sus4     E7  E7sus4  E7 | E5*    E7sus4  E7        Esus4   E   |
          Gold - en maid - en    wow, go  -  ing way on        down,
| E5* E7sus4     E7  E7sus4  E7 | E5*    E7sus4  E7      Esus4   E  |
          Gold - en maid - en    wow, ov  -  er the val  -  ley,
| E5* E7sus4        E7sus4  E7    4/4| E5*      E7sus4  E7  E7sus4  E7  E7sus4  E7 | E5  ||
          Bow to her,____      the     sun is set   -   ting.________________
```

SEWN

WORDS AND MUSIC BY DAN GILLESPIE SELLS AND THE FEELING

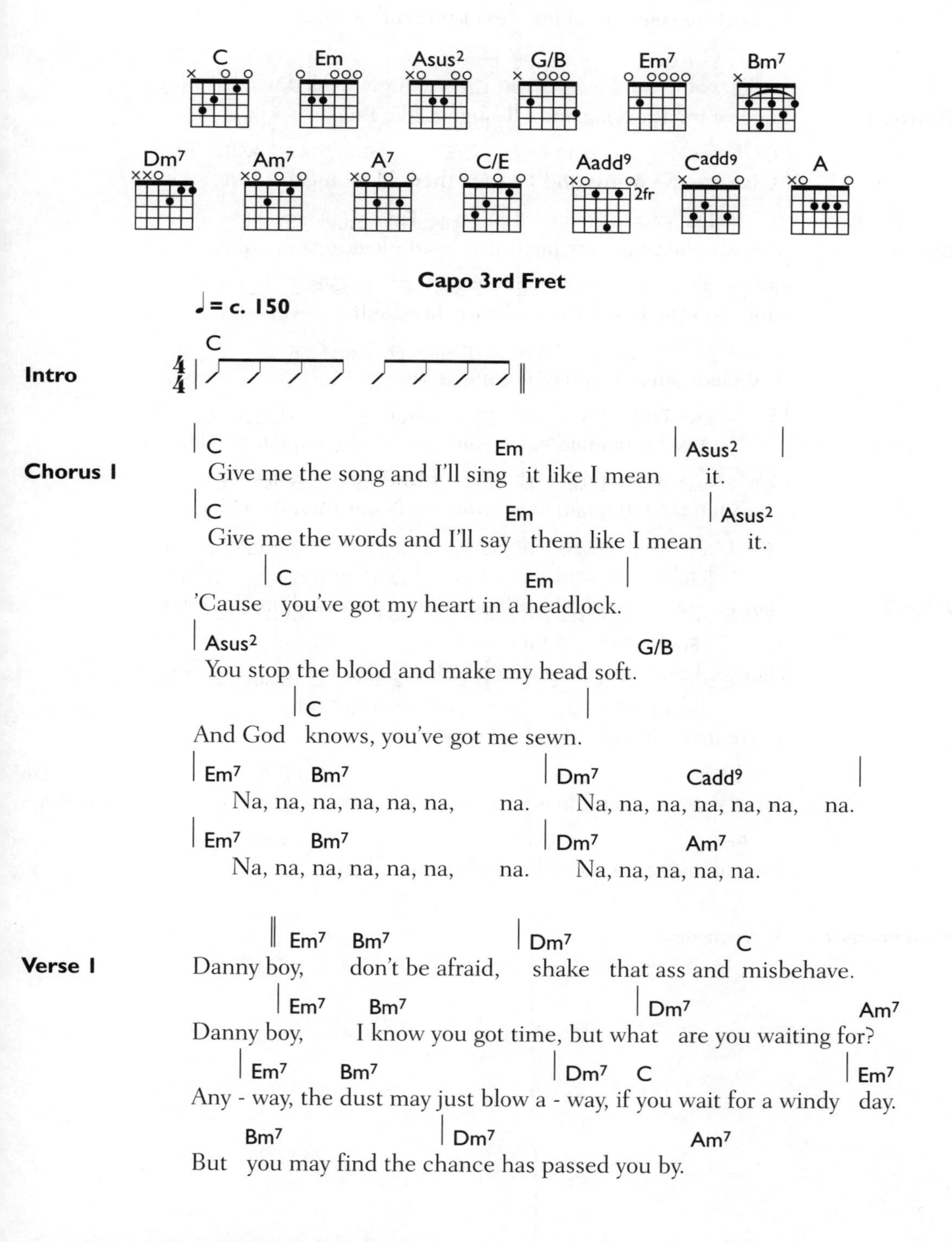

Pre-chorus 1

```
‖ C                        | A7
I  can't do the walk, I  can't do the talk.
 | C                         | A7
I  can't be your friend un - less I pretend.
```

Chorus 2

```
  ‖ C                           C/E          | A7    |
So give me the song and I'll sing  it like I mean    it.
| C                               C/E          | A7
 Give me the words and I'll say  them like I mean    it.
        | C                           Em  |
'Cause  you've got my heart in a head - lock.
| A7                                  G/B
 You stop the blood and make my head soft.
          | C                      |
And God  knows, you've got me sewn.
| Em7       Bm7                 | Dm7        C              |
    Na, na, na, na, na, na,   na.   Na, na, na, na, na, na,   na.
| Em7       Bm7                 | Dm7        Am7
    Na, na, na, na, na, na,   na,   Na, na, na, na, na.
```

Verse 2

```
       ‖ Em7    Bm7               | Dm7              C
Danny  boy,    don't be a fool, take  a punt and break  a rule.
       | Em7          Bm7
Danny  boy,    you're looking so low,
           | Dm7                    Am7
You're look - ing like the dead grown old.
    | Em7          Bm7                  | Dm7 C                        | Em7
Any - way,    your blues may just wash away    if you wait for a rainy day,
  Bm7               | Dm7                  Am7
But you may find the  chance has passed you by.
```

Pre-chorus 2 *As Pre-chorus 1*

Chorus 3

```
‖C                                    C/E              |Aadd⁹   |
 Give me the song and I'll sing it like I mean      it.
|C                                         C/E           |Aadd⁹
 Give me the words and I'll say   them like I mean        it.
         |C                                   Em       |
'Cause   you've got my heart in a head - lock.
|Aadd⁹                                                 |
 You stop the blood and make my head soft.
|C                               Em       |
 You got my heart in a head - lock.
|Aadd⁹
 You stop the blood and made my head soft.
            |C                           Em
You make my  head soft, you make my   head soft,
            |Aadd⁹                                      ‖
You make my  head soft, you make my head soft. Yeah!
```

Outro

```
‖: Cadd9    Em7  | A       A7    :‖  x5

 Cadd9    G/B    Aadd9
| ⁄⁄       ⁄⁄   | ⁄⁄          | Cadd9    G/B  | Aadd9 (fermata) ‖
```

SHOOT THE RUNNER

WORDS AND MUSIC BY SERGIO PIZZORNO

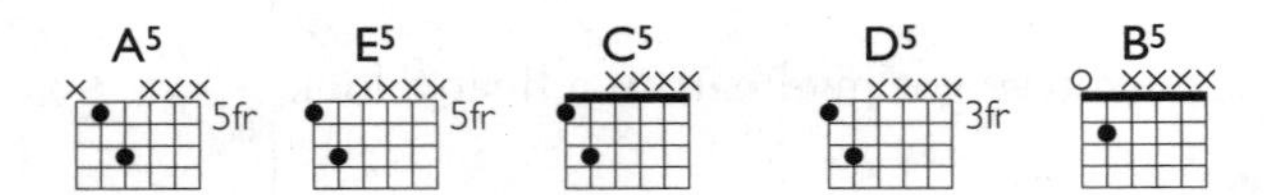

Tuning for Electric Guitar

① = E ④ = A
② = B ⑤ = E
③ = G ⑥ = B (lowest string)

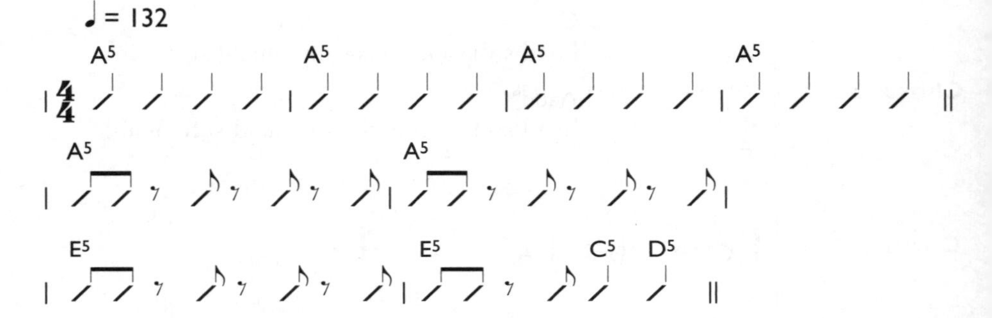

Intro

Chorus 1

𝄆 A5 | A5 |
Shoot the runner, shoot, shoot the runner.

| E5 | E5 C5 D5 𝄇
I'm a king and she's my queen.

Verse 1

| A5 | A5 | E5 | E5 C5 D5 |
Dream,______ dream again in your way, always knew that you

| A5 | A5 | E5 | E5 C5 D5 |
would_____ lose yourself to the scene, am I on - ly a___

Chorus 2

| A5 | A5 |
Shoot the runner, shoot, shoot the runner.
(dream.)

| E5 | E5 C5 D5 |
I'm a king and she's my queen, BITCH.

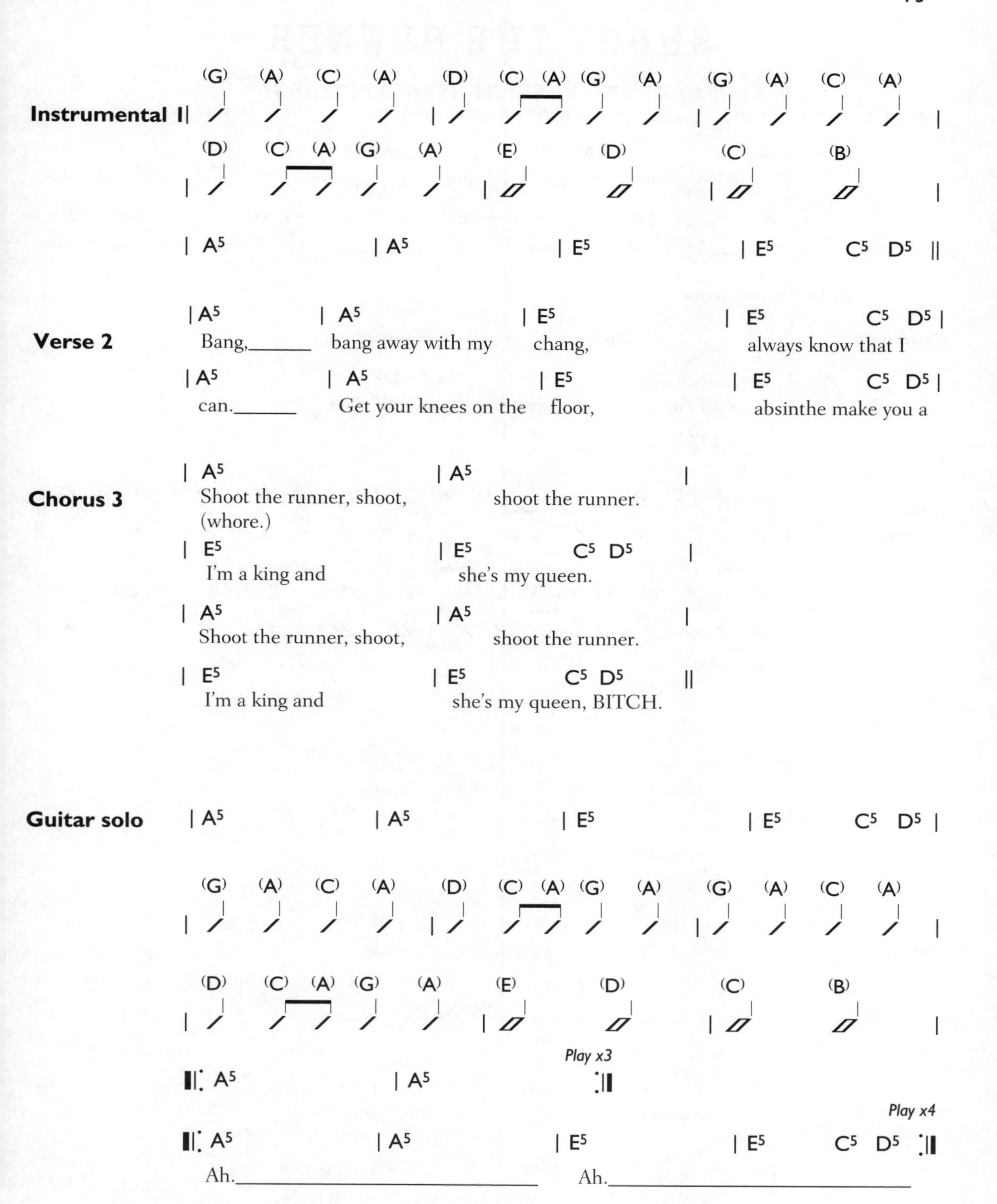
Instrumental I
(G) (A) (C) (A) (D) (C) (A) (G) (A) (G) (A) (C) (A)
(D) (C) (A) (G) (A) (E) (D) (C) (B)
| A5 | A5 | E5 | E5 C5 D5 ||
Verse 2
| A5 | A5 | E5 | E5 C5 D5 |
Bang, bang away with my chang, always know that I
| A5 | A5 | E5 | E5 C5 D5 |
can. Get your knees on the floor, absinthe make you a
Chorus 3
| A5 | A5 |
Shoot the runner, shoot, shoot the runner.
(whore.)
| E5 | E5 C5 D5 |
I'm a king and she's my queen.
| A5 | A5 |
Shoot the runner, shoot, shoot the runner.
| E5 | E5 C5 D5 ||
I'm a king and she's my queen, BITCH.
Guitar solo
| A5 | A5 | E5 | E5 C5 D5 |
(G) (A) (C) (A) (D) (C) (A) (G) (A) (G) (A) (C) (A)
(D) (C) (A) (G) (A) (E) (D) (C) (B)
Play x3
||: A5 | A5 :||
Play x4
||: A5 | A5 | E5 | E5 C5 D5 :||
Ah. Ah.

Verse 3

| A⁵ | A⁵ | E⁵ | E⁵ C⁵ D⁵ |
Kings,_______ Kings may come and then go, by this sword you must

| A⁵ | A⁵ | E⁵ | E⁵ C⁵ D⁵ |
know,_____ that all things come and then pass live your days like the

| A⁵ | A⁵ | E⁵ | E⁵ C⁵ D⁵ |
last.____ La la la__ la la la.__________ You're my queen I say now,

Chorus 4

| A⁵ | A⁵ |
Shoot, shoot the runner.

| E⁵ | E⁵ C⁵ D⁵ ||
'Cos I'm a king and you're my queen, BITCH.

Outro

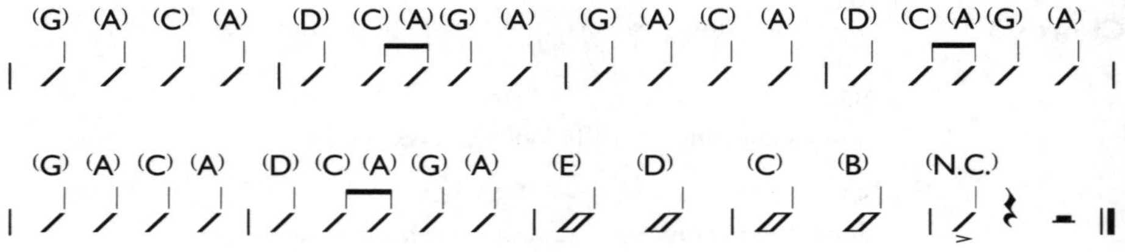

(G) (A) (C) (A) | (D) (C) (A) (G) (A) | (G) (A) (C) (A) | (D) (C) (A) (G) (A)
| / / / / | / / / / / | / / / / | / / / / / |

(G) (A) (C) (A) | (D) (C) (A) (G) (A) | (E) (D) | (C) (B) | (N.C.)
| / / / / | / / / / / | / / | / / | / ||

THE SIDEBOARD SONG

WORDS AND MUSIC BY CHARLES HODGES AND DAVID PEACOCK

C G

♩ = 123

| 4/4 N.C. |

Verse 1 Mother phoned up last night, she was going spare,

| N.C. |
She was in a temper, pulling out her hair. "Your

| N.C. |
sister's courting a scruffy looking Ted, Father

| N.C. ||
don't give a monkeys," and this is what he said;

| C | C G |
Chorus 1 "I don't care, I don't care, I don't care if he comes round here. I

| G | G C ||
got my beer in the sideboard here, let mother sort it out if he comes round here." I

| C |
Verse 2 said to me mother, "Let me have a talk to Dad", so he

| C G |
comes to the telephone, he wasn't half mad. Said,

| G |
"She's got no sense the silly little cow, and if he

| G C ||
comes round here there's gonna be a row."

Chorus 2 *As Chorus 1*

Verse 3

| C |
"I'll tell you something else, you know he's never got a job. He

| C G |
hangs around the betting shop the lazy little yob." Mother

| G |
says "Calm down Dad, he's alright." But they're

| G C ||
out there snogging in the passage all night.

Chorus 3 *As Chorus 1*

Bridge 1

| C | C G |
"If he comes round here I've got my beer, let mother sort it out in the sideboard here.

| G | G C ||
Got my beer, let mother sort it out, I don't care if he comes round here." You'd

Verse 4

| C |
think he was a tramp with the stubble on his chin, he

| C G |
looks like something that the cat's brought in. Never

| G | G C |
got no money, smokes all my fags, got holes in his soles and he's hanging in rags. On

| C |
top of that he said to tell you, why I've got the hump, she had a

| C G |
skinny little belly, now it's sticking out the front. There's

| G |
nothing here to fit her, she's been running out of clothes, and if

| G C ||
he's been taking liberties I'll punch him on the nose.

Chorus 4 *As Chorus 1*

Bridge 2 *As Bridge 1*

Piano solo ‖: C //// //// | G //// //// | //// //// | C //// //// :‖

Mid-section 1

‖: C | C G |
"If he comes round here I've got my beer, let mother sort it out in the sideboard here.
I don't care, I don't care, I don't care if he comes round here.

| G | G C :‖
I've got my beer, let mother sort it out, 'cause I don't care if he comes round here."
Sideboard here, I've got my beer, let mother sort it out if he comes round here.

Chorus 5 *As Chorus 1*

Bridge 3 *As Bridge 1*

Mid-section 2 *As Mid-section 1*

Chorus 6 *As Chorus 1*

Bridge 4 *As Bridge 1*

SING ME SPANISH TECHNO

WORDS AND MUSIC BY ALLAN CARL NEWMAN

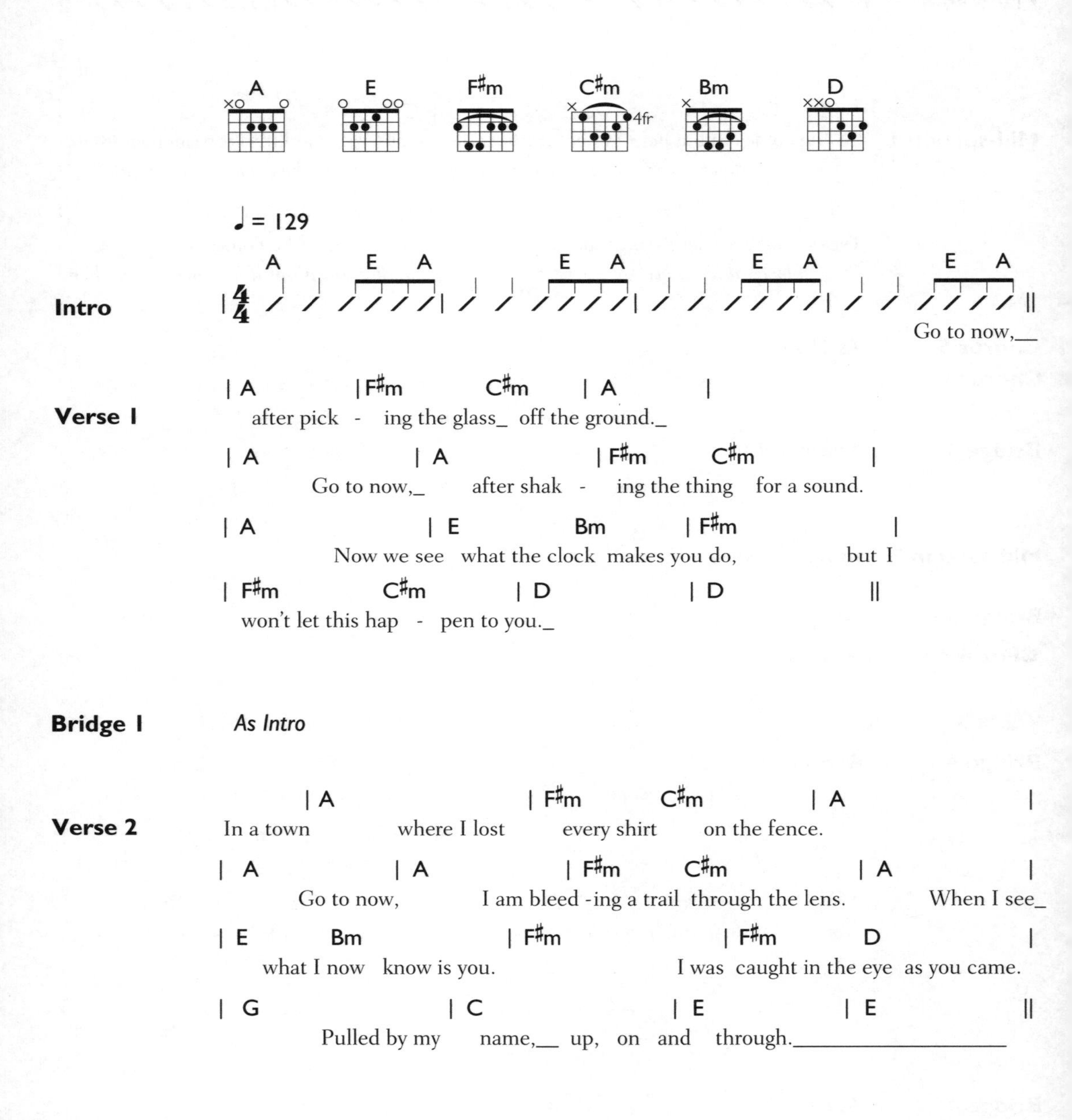

Bridge 2 *As Intro*

Pre-chorus 1

| C♯m | F♯m | C♯m |
Travelling at god - - speed,____ over the__ hills_______ and trails,
| F♯m | D | A | E |
I had refused_____ my call, pushin' my la - zy sails
| F♯m | C♯m | F♯m |
into the blue___________ flame. I want to crash here__
| D | A | E |
____ right now. The hour - glass spills__________ its sand
| F♯m | D | D ||
if only to__ pu - nish you for

Chorus 1

| A | A | A | A |
listenin' too long to one song. Listenin' too long to one song,
| D | Bm E | A | A |
Sing me Spanish tech - no. Listenin' too long to one song,
| A | A | D | Bm E ||
Listenin' too long to one song, sing me Spanish tech - no.

Bridge 3 *As Intro*

Verse 3

| A | F♯m C♯m | A |
'Go to now,_ after wi - ring the thing_ to explode._
| A | A | F♯m C♯m |
Wired for sound, wide awake here for days in a row.
| A | E Bm | F♯m |
Now we see what the en - gine can do, and I
| F♯m C♯m | D | F♯m C♯m |
won't let this hap - pen to you. I won't let this hap - pen to
| D | D ||
you.________________________________

Bridge 4 *As Intro*

Pre-chorus 2 *As Pre-chorus 1*

Chorus 2 *As Chorus 1*

Instrumental

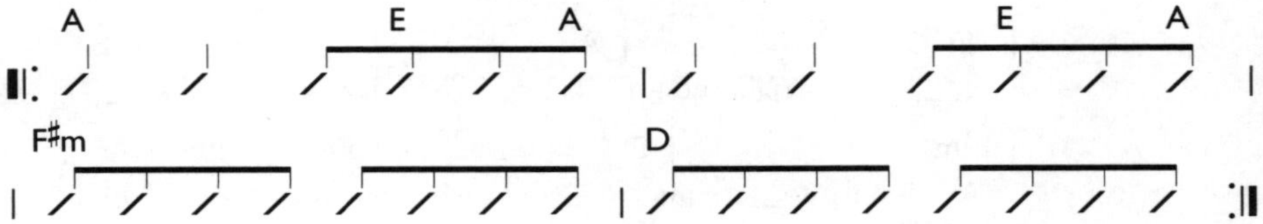

A E A E A

F♯m D

Outro

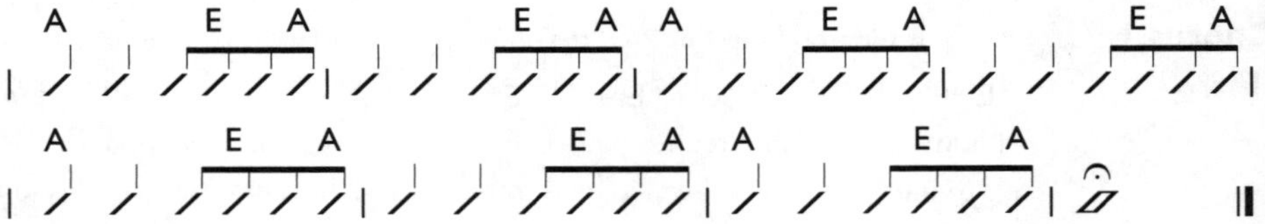

A E A E A A E A E A

A E A E A A E A

SONG FOR CLAY (DISAPPEAR HERE)

WORDS AND MUSIC BY KELE OKEREKE, RUSSELL LISSACK, GORDON MOAKES AND MATT TONG

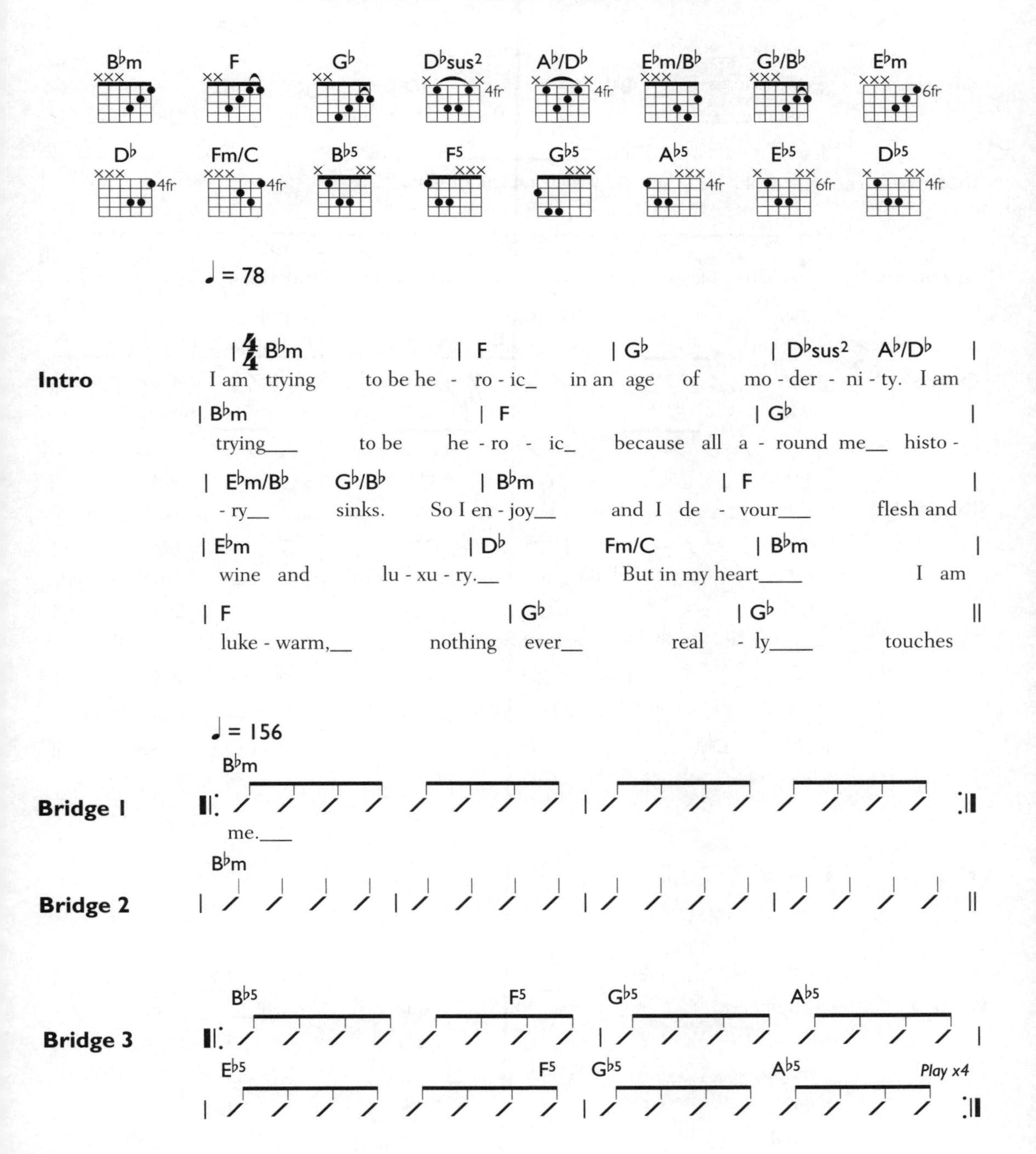

Verse 1

| (B♭) | (B♭) | (D♭) | (D♭) |
At Les____ Trois Gar - cons_________ we meet at pre -

| (F) | (F) | (B♭) | (B♭) |
- cisely____ nine o'clock.__ I_

| (B♭) | (B♭) | (D♭) | (D♭) |
order_____ the__ foie_ gras,___ and I eat_____

| (F) | (F) | (B♭) | (B♭) ||
it____ with complete disdain.__

Pre-chorus 1

| 7/4 (B♭) | (D♭) | (F) |
Bub - bles_ rise_ in cham - pagne flutes, but when we kiss I feel

| (B♭) | (B♭) | (D♭) |
nothing. Feast - ing_ on___ sleeping pills and

| (F) | 4/4 (B♭) | (B♭) ||
Marl - boro Reds. *Self pity won't save you.*_

Chorus 1

| B♭5 D♭5 | G♭5 E♭5 | G♭5 E♭5 |
Oh_________ how our,____ how_ our______ pa - rents,_ they

| G♭5 A♭5 | B♭5 D♭5 | G♭5 E♭5 |
suf - fered for no - thing.__ Live the dream,__ live the dream,

| G♭5 E♭5 | G♭5 A♭5 | B♭5 D♭5 |
live the dream_ like the eighties ne - ver_ happened._ Peo -

| G♭5 E♭5 | G♭5 E♭5 | G♭5 A♭5 |
- ple____ are af-raid,__ are af - raid__ to merge___ on__ the__

| B♭5 D♭5 | G♭5 E♭5 | G♭5 E♭5 | G♭5 A♭5 ||
free-way._ Disappear_ here._

Bridge 4 ||: *As Bridge 3* :||

Verse 2

| (B♭) | (B♭) | (D♭) | (D♭) |
Stroll past___________ the_____ queue______________ into__ the

| (F) | (F) | (B♭) | (B♭) |
magazine_______ launch party.__ I'm

| (B♭) | (B♭) | (D♭) | (D♭) |
handed________ a______ pill_____________ and I swal -

| (F) | (F) | (B♭) | (B♭) ||
- low___ with complete disdain.__

Pre-chorus 2

| $\frac{7}{4}$ (B♭) | (D♭) | (F) |
Kick_ drum_ pounds_ off - beat_ high - hats, re - mem - ber_ to_ look

| (B♭) | (B♭) | (D♭) |
bored. We suck_ each_ o - thers fa - ces_ and

| (F) | $\frac{4}{4}$ (B♭) | (B♭) ||
make_ sure_ we_ are noticed. Because
The co - caine_ won't_ save_ you._

Mid-section

| B♭5 | B♭5 | B♭5 | B♭5 |
East London is a vampire, it sucks the joy right out of me,

| B♭5 | B♭5 | (A) | (A) ||
How we long for corruption in these gol - den years.

Chorus 2 *As Chorus 1*

Outro

||: B♭5 F5 | G♭5 A♭5 | E♭5 F5 |

| G♭5 A♭5 :|| B♭5 ||
play x4
Disappear___________ here.______

START WEARING PURPLE

WORDS BY EUGENE HÜTZ
MUSIC BY EUGENE HÜTZ AND GOGOL BORDELLO

Am E7 F/A

Intro
Am

Chorus 1
| Am | Am |
Start wearing purple wearing purple
| Am | E7
Start wearing purple for me now.
| E7 | E7 |
All your sanity and wits, they will all vanish, I promise,
| E7 | Am ||
It's just a matter of time. So yeah, I'll

Chorus 2
Am Am
Start wearing purple wearing purple
| Am | E7
Start wearing purple for me now.
| E7 | E7 |
All your sanity and wits, they will all vanish, I promise,
| E7 | Am
It's just a matter of time.

Verse 1
N.C. || Am
I know you since you were a twen - ty, I was twenty,
| Am | E7 |
And thought that some years from now
| E7 | E7 |
A purple little, little lady will be perfect
| E7 | Am ||
For dirty old and useless clown. So yeah,

Chorus 3 *As Chorus 2*

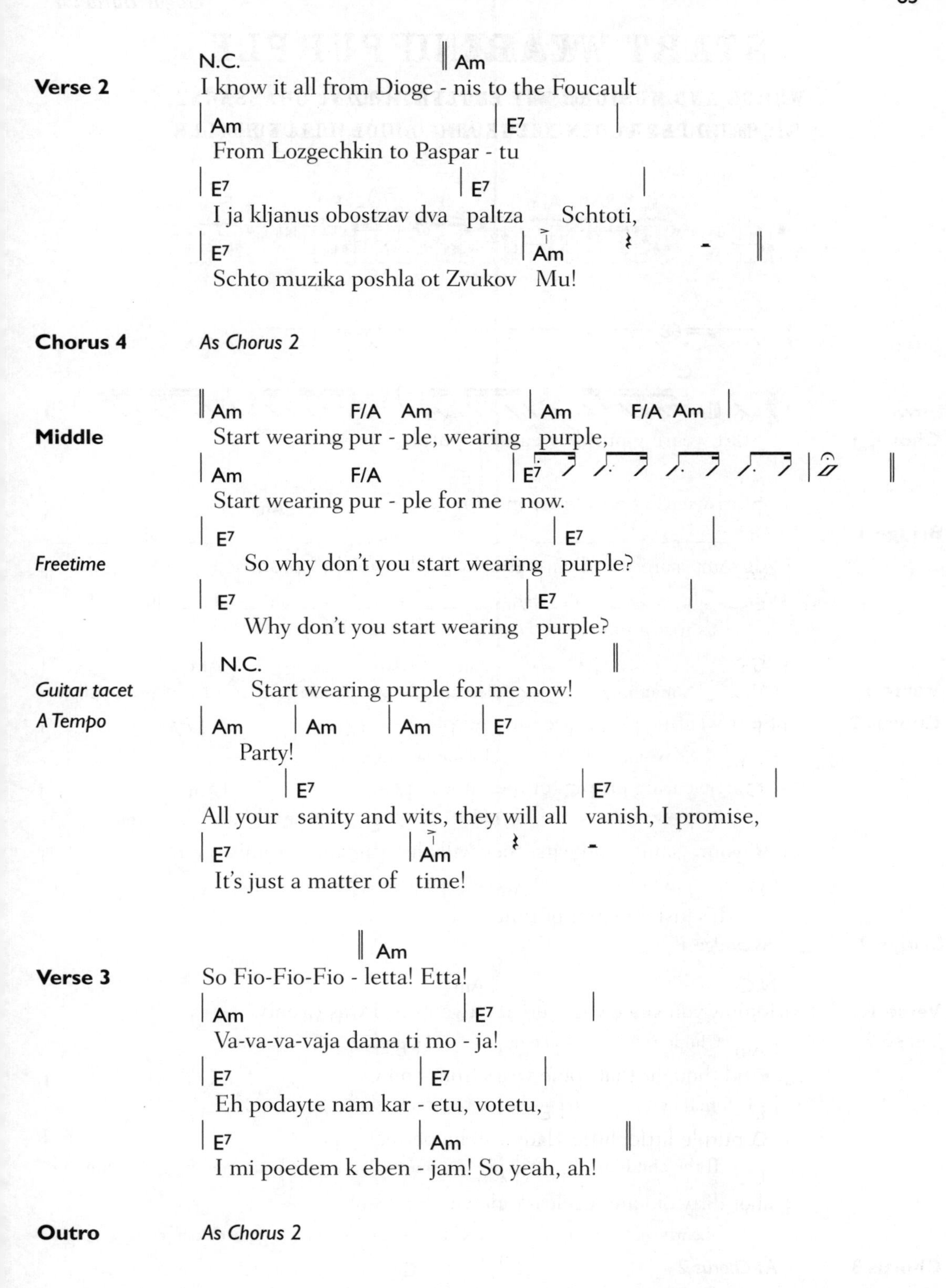
Verse 2
N.C. Am
I know it all from Dioge - nis to the Foucault
Am E7
From Lozgechkin to Paspar - tu
E7 E7
I ja kljanus obostzav dva paltza Schtoti,
E7 Am
Schto muzika poshla ot Zvukov Mu!
Chorus 4
As Chorus 2
Am F/A Am Am F/A Am
Middle
Start wearing pur - ple, wearing purple,
Am F/A E7
Start wearing pur - ple for me now.
E7 E7
Freetime
So why don't you start wearing purple?
E7 E7
Why don't you start wearing purple?
N.C.
Guitar tacet
Start wearing purple for me now!
A Tempo
Am Am Am E7
Party!
E7 E7
All your sanity and wits, they will all vanish, I promise,
E7 Am
It's just a matter of time!
Am
Verse 3
So Fio-Fio-Fio - letta! Etta!
Am E7
Va-va-va-vaja dama ti mo - ja!
E7 E7
Eh podayte nam kar - etu, votetu,
E7 Am
I mi poedem k eben - jam! So yeah, ah!
Outro
As Chorus 2

WAKE UP

WORDS AND MUSIC BY WIN BUTLER, REGINE CHASSAGNE, RICHARD PARRY, TIM KINGSBURY AND WILLIAM BUTLER

C5 (8fr) C (8fr) Am (5fr) F Eb5 (11fr) F5

♩ = 68

Intro

C5 — Play x3

Bridge 1

| C | C | Am |
Ah,___ ah,___ ah,_ ah,_ ah,_ ah,_ ah,___ ah,___

| Am | F | F ||
Ah,_ ah,_ ah,_ ah,_ ah,___ ah,___ ah,_ ah,_ ah,_ ah,_

Verse 1

| C | C | Am | Am |
Ah..._ Something filled up my heart with nothing,

| F | F | C5 | C5 |
Someone told me not to cry.___

| C | C | Am | Am |
But now that I'm older, my heart's colder,_

| F | F | C5 | C5 ||
And I can see that it's a lie.___

Bridge 2 *As Bridge 1*

Verse 2

| C | C | Am | Am |
Children wake up, hold your mistake up

| F | F | C5 | C5 |
before they turn the summer into dust.___

| C | C | Am |
If the children don't grow up, our bodies get bigger but our

| Am | F |
hearts get torn up. We're just a million little gods causing

| F | C5 | C5
rain storms, turning every good thing to rust.___ I guess we'll just have to

Bridge 3

| C | C | Am | Am |
Ah,___ ah,___ ah,_ ah,_ ah,_ ah,__ ah,_____ ah,_____ ah, ah,__ ah,__ ah,
ad - just.

| F | F | C | C ||
ah,____ ah,___ ah,__ ah,__ ah,__ ah,__ ah.___

Mid-section

| E♭5 | E♭5 | C5 | C5 | E♭5 |
With__ the__ lightning bolts a -glowing._ I__ can__

| E♭5 | 6/4 F5 | 4/4 F5 ||
see where I am going to be when the reaper reaches and touches my

♩ = 188

Instrumental

C 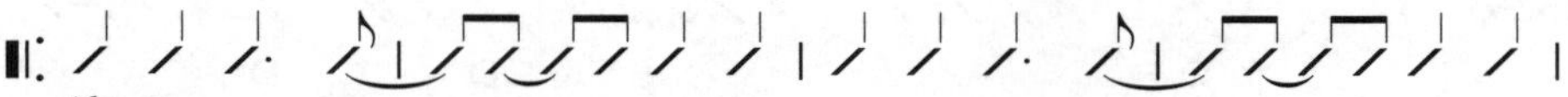
‖: / / /. / | / / / / / / | / / /. / | / / / / / / |
Ah...__________
hair.____

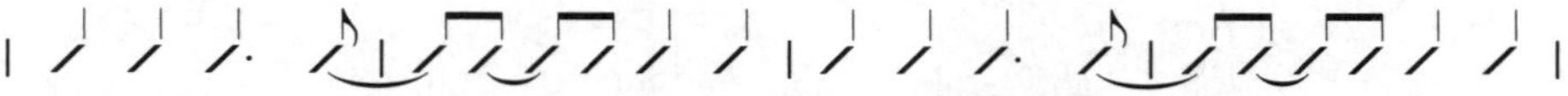

| / / /. / | / / / / / / | / / /. / | / / / / / / |
Ah,_____ ah,_____ ah,_____

| Am | Am | Am | Am |
Ah,__________ ah,__________ ah,_____ ah,_____ ah,_____

| F | F | F | F :‖
Ah,__________ ah,__________ ah,_____ ah,_____ ah,_____

C 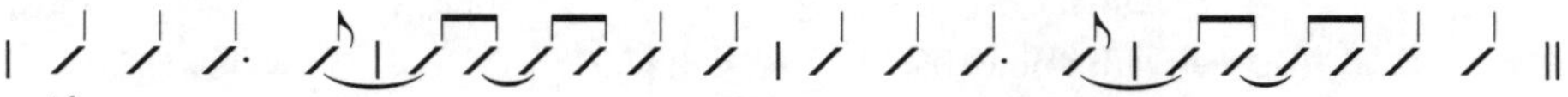
| / / /. / | / / / / / / | / / /. / | / / / / / / ‖
Ah...__________

Verse 3

‖: C | C | C | C |
With______ my______ light - ning bolts___ a -

| Am | Am | Am | Am |
- glow - ing,______ I___ can___ see___ where___

| F | F | F | F |
I______ am______ go - ing.______

C
| / / /. / | / / / / / / | / / /. / | / / / / / / :‖

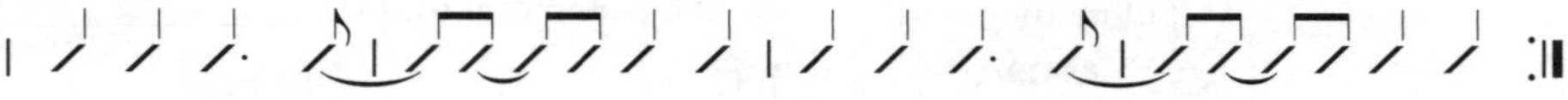

Outro

| C | C | C | C | C ‖
You better look out below!

WANT

WORDS AND MUSIC BY RUFUS WAINWRIGHT

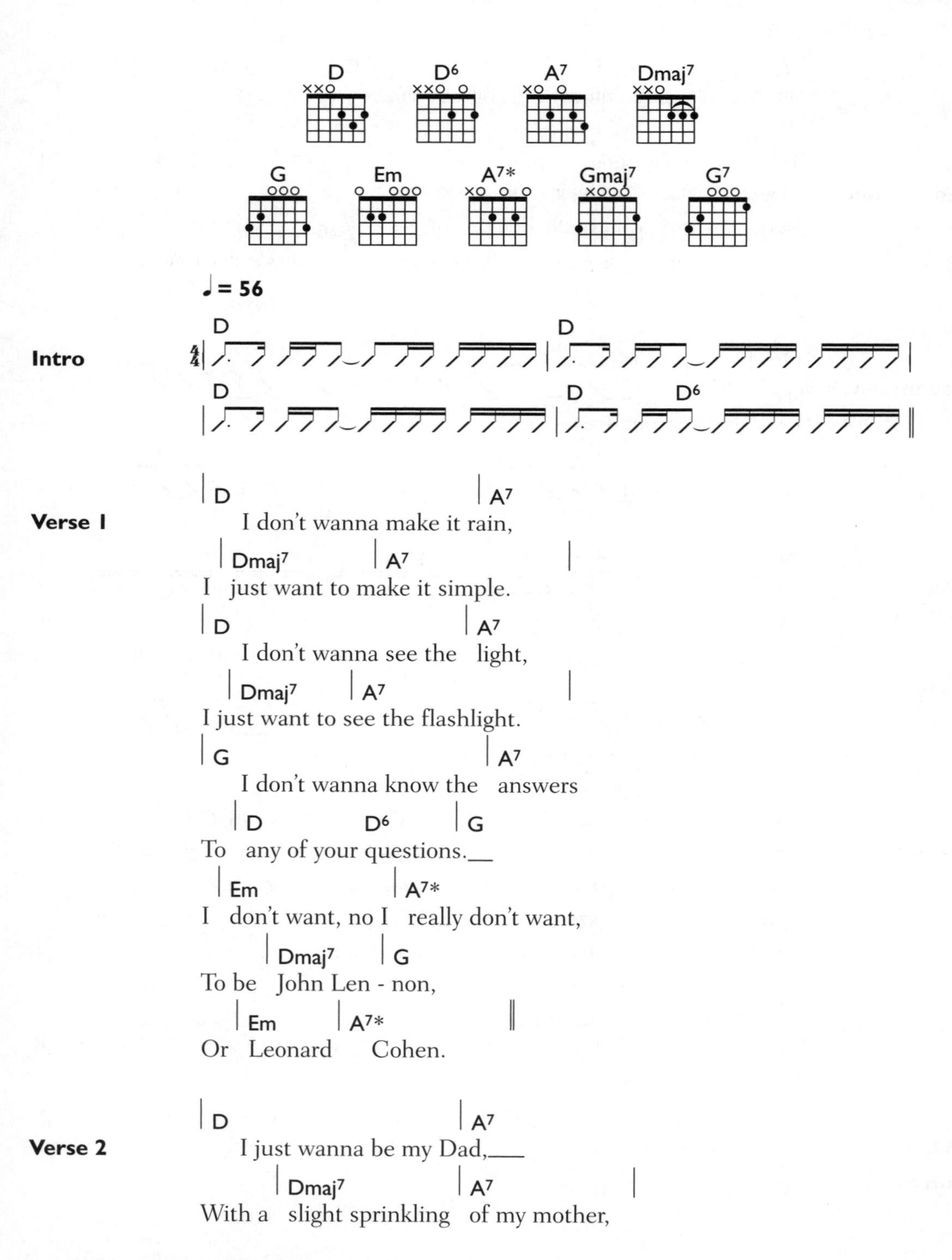

cont.

| D | A7
    And work at the family store
    | Dmaj7 | A7 |
And take orders from the counter.
| G | A7*
    I don't wanna know the answers
  | D D6 | G
To any of your ques - tions.
  | Em | A7*
I don't want, no I really don't want,
    | Dmaj7 | G
To be John Lith - gow,
  | Em | A7*
Or Jane Curtin.
N.C. | D | G
But I'll settle for love
    | D | G ||
Yeah, I'll settle for love.

Link

G Gmaj7 Gmaj7
| / . / / / / ~ / / / / / / / / | / . / / / / ~ / / / / / / / / | / . / / / / ~ / / / / / / / / ||

Verse 3

| D | A7
    Before I reach the gate
    | Dmaj7 | A7 |
I real - ised I packed my passport.
| D | A7 | Dmaj7 | A7 |
    Before security___ I real - ised I had one more bag left.
| G | A7* | Dmaj7 | G |
    I just wanna know something's coming for to get me,___
| Em | A7* | A7* | G7 |
  Tell me, will you make me sad, or happy?
| G7 | D | G
  And will you settle for love?
    | D | G |
Will you settle for love?

Outro

| G | G | G (fermata) ||

WHISTLE FOR THE CHOIR

WRITTEN BY THE FRATELLIS

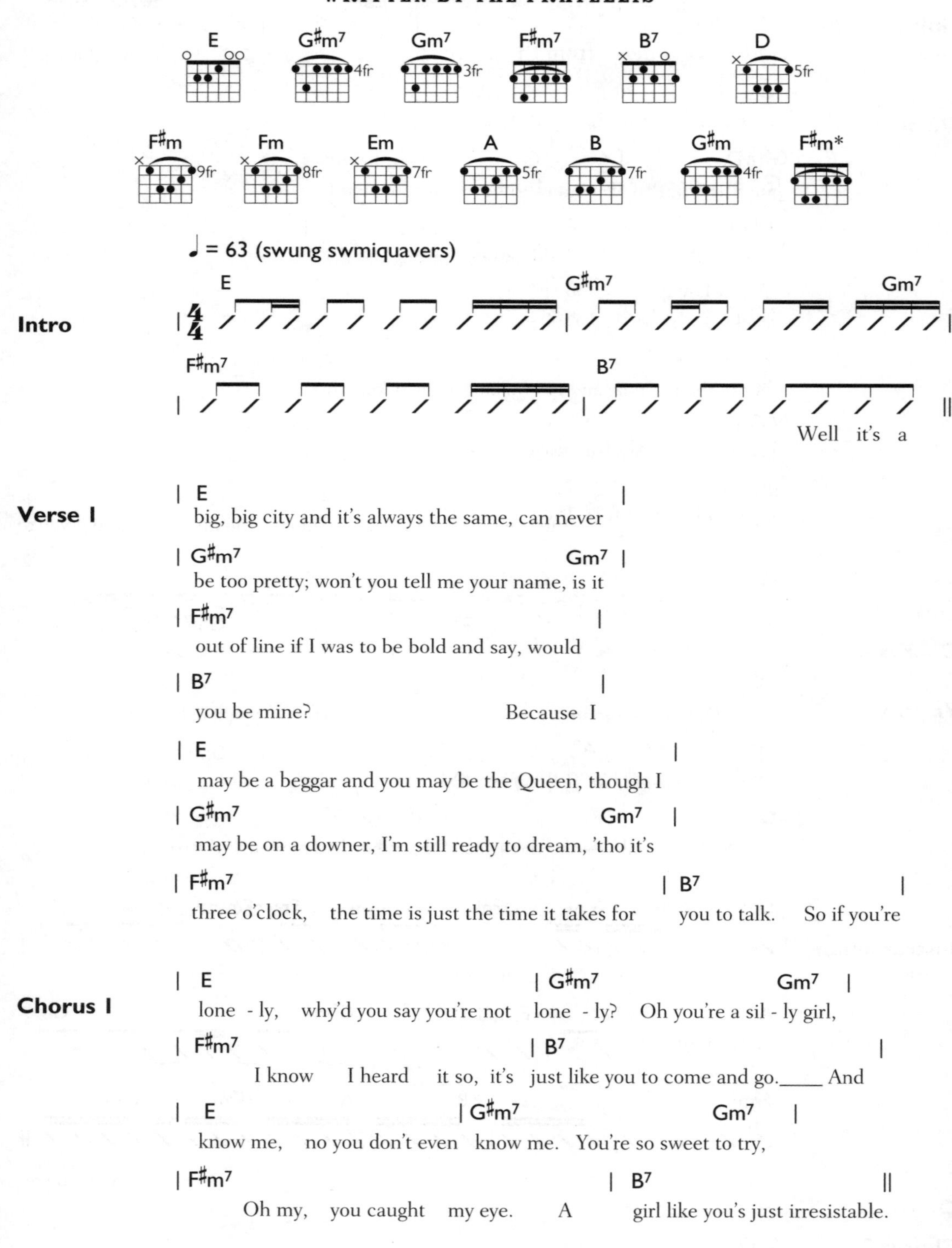

Link 1
E G#m7 Gm7 F#m7 B7
Well it's a
Verse 2
E
big, big city and the lights are all out, but it's as
G#m7 Gm7
much as I can do, you know, to figure you out, and I
F#m7
must confess, my heart's all broke in pieces and my
B7
head's a mess. And it's
E
four in the morning and I'm walking along beside the
G#m7 Gm7
ghost of every drinker here who's ever done wrong, and it's
F#m7 B7
you, woo hoo, who's got me going crazy for the things you do. And so if you're
Chorus 2
E G#m7 Gm7
cra - zy, I don't care, you am - aze me. But you're a stup - id girl,
F#m7 B7
Oh me, oh my, you talk, I die, you smile, you laugh, I cry. And
E G#m7 Gm7
on - ly a girl like you can be lone - ly. And it's a cry - ing shame,
F#m7 B7
if you would think the same, a boy like me's just irresistable.
Instrumental
D F#m Fm Em
A B E G#m7 Gm7
F#m7 B A G#m F#m*
So if you're
Chorus 3
As Chorus 1

WITH YOU

WORDS BY BILLY LUNN
MUSIC BY SUBWAYS

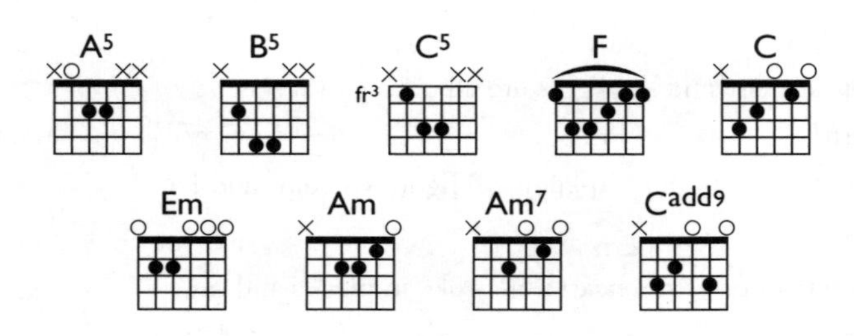

Capo 3rd fret

♩= 142

Intro 4/4 | A5 / / / / / / / / | / / / / / / / / ||

Verse 1
| A5 | A5 |
I live my life walking down the street.
| A5 | A5 B5 |
Meet the faces of the people I see.
| C5 | C5 |
All the time I see your reflection,
| C5 | C5 |
All the time I see your reflection.

Verse 2
| A5 | A5 |
It's ok to feel alone.
| A5 | A5 B5 |
It's ok to be alone.
| C5 | C5 |
All the time I see your reflection,
| C5 | C5 |
All the time I see your reflection.

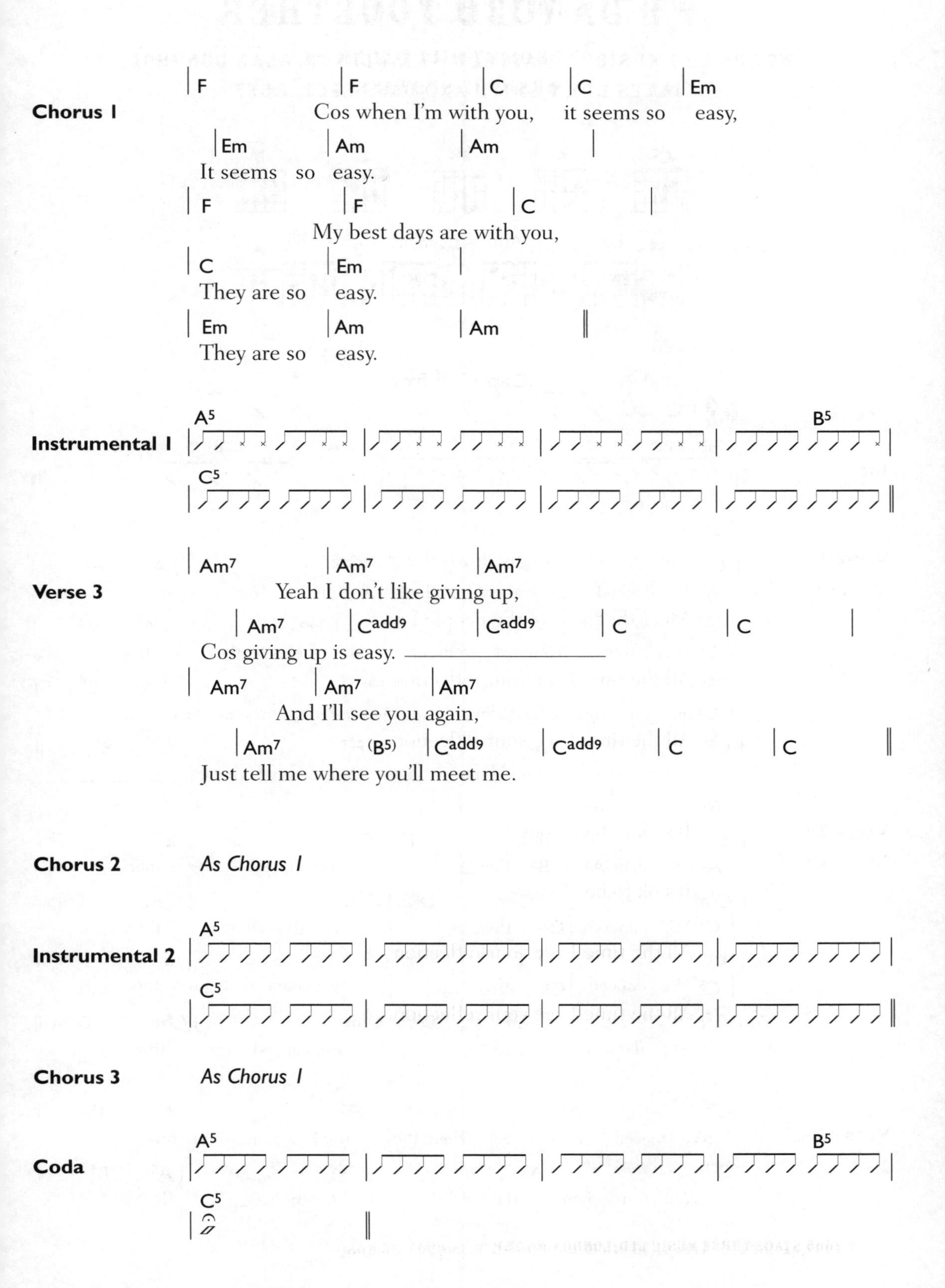
Chorus 1
F F C C Em
Cos when I'm with you, it seems so easy,
Em Am Am
It seems so easy.
F F C
My best days are with you,
C Em
They are so easy.
Em Am Am
They are so easy.
Instrumental 1
A5
B5
C5
Verse 3
Am7 Am7 Am7
Yeah I don't like giving up,
Am7 Cadd9 Cadd9 C C
Cos giving up is easy.
Am7 Am7 Am7
And I'll see you again,
Am7 (B5) Cadd9 Cadd9 C C
Just tell me where you'll meet me.
Chorus 2
As Chorus 1
Instrumental 2
A5
C5
Chorus 3
As Chorus 1
Coda
A5
B5
C5

WE DANCED TOGETHER

WORDS AND MUSIC BY MATTHEW SWINNERTON, ALAN DONOHOE, JAMES HORN-SMITH AND LASSE PETERSEN

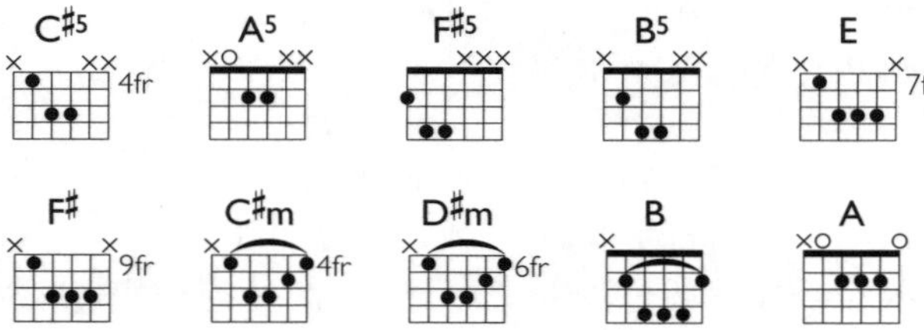

C♯5 A5 F♯5 B5 E 4fr 7fr

F♯ C♯m D♯m B A 9fr 4fr 6fr

♩ = 180

Intro

4/4 C♯5 | A5 |

| F♯5 | A5 B5 :||

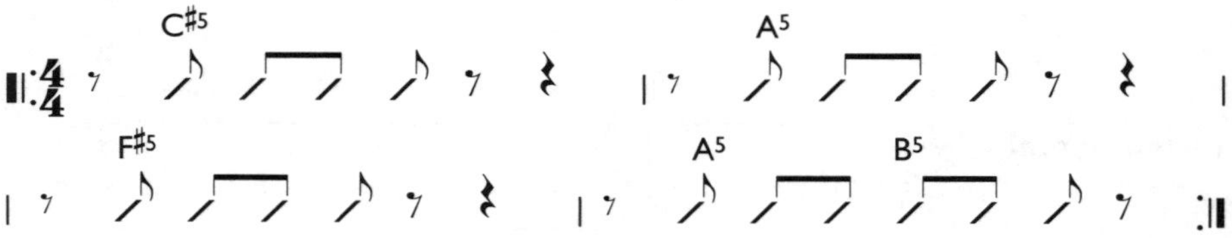

Verse 1

| C♯5 | A5 | F♯5 | A5 B5 |
We danced toge - ther on the roof at the par - ty.___

| C♯5 | A5 | F♯5 | A5 B5 |
Five storeys removed from the trou - bles on the street.

| C♯5 | A5 | F♯5 | A5 B5 |
The sun arose revealing the goose-bumps on your arms,___

| C♯5 | A5 | F♯5 | A5 B5 ||
A sign that we should move toge - ther some-where warm.___________

Chorus 1

| E | E F♯ | E | E F♯ |
We danced toge - ther,___ we danced toge - ther.___

| C♯m | C♯m D♯m | C♯m | C♯m D♯m |
We danced toge - ther,___ we danced toge - ther.___

| E | E F♯ | E | E F♯ |
We danced toge - ther,___ we danced toge - ther.___

| C♯m | C♯m D♯m | C♯m | C♯m D♯m ||
We danced toge - ther,___ we danced toge - ther.___

Verse 2

| C♯5 | A5 | F♯5 | A5 B5 |
We moved to the street where they tried to hold cur - few._

| C♯5 | A5 | F♯5 | A5 B5 |
And run among the debris as the bullets_ flew._

cont.

| C♯5 | A5 | F♯5 | A5 B5 |
Helicopter cir - cled over - head to get a better view.

| C♯5 | A5 | F♯5 | A5 B5 ||
We found a door - way,___ fell in and I held you, yeah.

Chorus 2 *As Chorus 1*

Mid-section 1

| E | E | E | E B |
We didn't give a shit about what they would say.________

| C♯m | C♯m | C♯m | C♯m |
And stayed up until the light turned our world grey.

| E | E | E | E B |
We caned our mo - ney like it was our last__ day.________

| C♯m | C♯m | C♯m | C♯m ||
Two fingers up at those who won't miss us when we pass away.__________

Guitar solo

B
||: / / / / / / | / / / / / / / / |

A
| / / / / / / | / / / / / / / / :||

Play x4

Bridge ||: *As Intro* :||

Mid-section 2

| C♯5 | A5 | F♯5 | A5 B5 |
We danced toge - ther.__________

| C♯5 | A5 | F♯5 | A5 B5 ||
We danced toge - ther on the roof at the par - ty.__________

Chorus 3 *As Chorus 1*

Mid-section 3 *As Mid-section 1*

Outro

```
| E              | E              | E             | E       B       |
  We didn't have   nowhere to go.    Wait for the   daylight to begin,
| C#m               | C#m             | C#m            | C#m                  |
   Save, save our se - cu - lar souls, how can you have hope with no God?
| E              | E              | E             | E       B       |
  We didn't have   nowhere to go.    Wait for the   daylight to begin,
| C#m          | C#m             | C#m            | C#m              | E  ||
  Save, save our se - cu - lar souls, how can you have hope with no God?
```